외계인과 단군

서현수 지음

5:2

삼오

서 사

· · · ·… 소리가 없었다. 빛이 없었다. …… 소리가 없었다. 빛이 없었다. …… 빛·빛·빛이었다.

…… 소리·소리·소리였다. 오랜 어둠이 깨어졌다. 오랜 정적이 깨어졌다. …… 갑자기 나타난 빛의 물체는 UFO였다. 웅장한 UFO가 드러남과 동시에 정지된듯 하였다. 지금도 상당히 빠른 속력이니, 그 전에 얼마나 빨랐는진 상상불가였다.

· · · ·… 빛, 빛, 빛이었다. 1만 5천년 전 대지의 인류는 밤하늘을 수놓는 휘황찬란한 빛을 번개의 하나로 여겼다. 맑은 하늘의 대지도, 흐린 하늘의 대지도. 푸른 하늘에서 빛을 본 인류는 낮 대지에서 별로 없었다. 본 사람도 무심코 지나쳤다. 그들은 사냥이 더 우선이었다. 비 내리는 낮 대지에선 거의 없었다.

· · · ·… 웅장한 UFO에서 나온 12대 작은 비행물체가 지구의 대기권을 돌고있었다. 큰 비행물체에서 사령관이 잠깐 회상에 잠겼다. 그들의 조상이 1백 만(百萬)년 전에 이 별을 방문하였다가 그냥 되돌아가는 영화의 끝부분과 방백이 그의 심장으로 흘렀다. 이 별도 그들의 별처럼 공룡이 1억 년만 빨리 사라졌어도, 그들의 조상이 빈손으로 돌아오진 않았을 텐데….

· · · ·… 사령관이 부관에게 눈빛을 보냈다. 부관은 대장에게 고개를

끄덕였다. 대장은 입체조명 상황실에서 몇개의 버튼을 눌렀다. 대기권에 있던 작은 비행물체는 각각 시동을 기다리며, 발진의 시간을 기다렸다. 12, 11, 10, 9, 8, 7, 6, 5! ~ 작은 UFO들이 대기권을 뚫고 지구로 하강하였다.

· · · ⋯ 소리, 소리, 소리였다. 지구의 인류는 그 비행물체의 하강에서 따르는 소리를 들었다. 벼락으로 여겼다. 늘 듣던 천둥으로 들었다. 그 당시는 지금보다 소리가 더 크게 들렸다. 더러는 불꽃을 보았지만 별똥이 좀 색다르게 떨어진다고 보았다. 그때도 해는 그대로였고, 달도 그대로였고, 별도 그대로였다.

· · · ⋯ 지구에 내린 외계인은 지구를 정찰한 뒤, 지구인으로 변하여 그들과 어울렸다. 그리곤 선택한 지구인과 통정하여 그들의 후손인 섞인이를 뿌렸다. 1세대 섞인이에게 17로 바둑을 가르쳤다. 당시에 지구인에겐 말은 있었으나 글은 없었다. 수장에겐 비전으로 바둑을 가르쳤다. 그리곤 지구에 도착한 10년 뒤, 숨겨둔 비행물을 타고 본우주선으로 되돌아갔다. 10년이라지만 그들에겐 채 1년도 안되는 의미였다.

· · · ⋯ 12 대의 탐사선이 돌아오고 있었다. 사령관은 빙그레 미소를 지으며, 미래를 펼쳐보았다. 사실 그는 수면에 빠졌다가 중간에 네 번 깨어서 일어났는데, 벌써 돌아갈 시간이며, 임무완수에 스스로 만족하였다.

인류와의 첫 직접 접촉이었다. 이번 작업의 의미는 우주 역사의 새 장을 여는 것이다. 이제 정기적으로 1000년에 한번은 다음 세대 비행사들이 올 것이며, 그렇게 천년 뒤에 또 다음 세대가 … 그러다 한 세대에서 2

번도 올 것이며, 3번이 될 수도…. 그만큼 그들의 수명도 연장될 것이란 믿음이 이어졌다.

무엇보다 그는 성공한 첫 사령관이란 명예가 부여될 것이다. 부관이 다 돌아왔다며 미소를 머금은 눈빛을 그에게 보낸다. 현지에서 돌아온 지구대장이 신념에 찬 눈빛으로 다가온다….

· · · · ···

… 빛이 움직인다. 빛이 움직인다. 그리곤 갑자기 빛이 사라졌다 …….

| 차 례 |

제1부

외계인과 바둑

1 경

* 산(山)이 모든 걸 말한다 *

기원전 3천 년 이집트 문헌 〈사자의 서〉에서 지식의 신, 별을 세는 자 '토트'를 말한다.

"모든 것을 보았고, 보면서 이해하였으며, 이해하면서 드러내었다. 자신이 아는 바를 돌에 새겼으나 대부분 숨겼다."

한 영역자 월터 스콧이 말하였다.

"아주 오랜 시간 뒤, 그걸 밝힐 인간들이 태어날 것이다."

〈1 : 43,200〉 기자(기제)의 대 피라밋과 지구 크기의 대비다.

$72 \times 600 = 43,200$

72년 마다 1도씩 전진하는 춘추분점의 세차운동, 거기에 따라 황도 북극에 대한 천상 북극의 위치변화가 태양이 뜨는 별자리를 이동시킨다.

지구는 원이다. $360 = 180 \times 2 = 90 \times 4 = 72 \times 5$

$72 \times 2 = 144. 72 \times 3 = 216. 72 + (72 \div 2) = 108$

대 피라밋에 본초자오선을 옮겨서 0이면, 동쪽 경도 72도에 앙코르와트 사원이 있다. 만다라의 최고 걸작이다.

"앙코르에는 72개의 기념물인 벽돌신전과 주석이 있다."

[그림 1-1]

내셔널지오그래픽 기사다. [그림 1-1] 춘분 새벽녘 앙코르와트 중앙 탑 위로 떠오른 태양. 기원전 10500년 춘분 새벽에 앙코르와트의 자리에선 용자리가 하늘 한 중간 정북방향에 놓였다. 대 스핑크스는 사자자리에, 대 피라밋은 오리온자리에 놓였

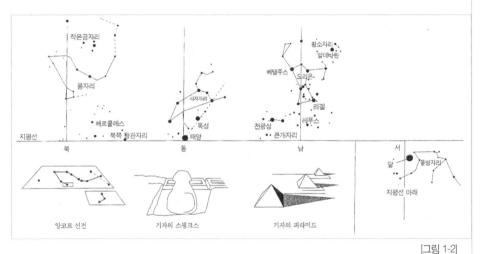

[그림 1-2]

다. [그림 1-2]

그날은 외계인이 인류와 접촉한 3번째 3천년을 기념하는 날이다.

기원전 10500년 춘분일출 시 용자리와 주변의 별을 지상의 앙코르에 재현하였다. [그림 1-3] 앙코르 서쪽 출입문으로 2개의 동, 하지 정렬선이 있다.

"배를 타고 바다로 건너왔다. 그 이전에

[그림 1-3]

는 땅의 군주인 '신의 왕' 궁정에서 지냈다. 이미 하늘을 알았다."

앙코르 신왕을 묘사한 부분이다. 측지학적 천문학적 전문가인 신들의 건축가가 인간들을 가르쳤다.

기원전 2500년과 기원후(802~1220년) 라는 오랜 세월의 차이가 나지만,

이집트와 앙코르의 유적은 비슷한 얼굴의 모습이다. 조인 가루다가 뱀을 밟고 있다. [그림 1-4] 이집트 호루스와 비교된다. 마야의 뱀, 이집트의 뱀, 앙코르의 뱀. 좋고 나쁜 양면성을 지닌다.

$3 \times 2 = 6$

인도신화에서 나가뱀들은 초자연적 존재로 신들과 동격이다.

[그림 1-4]

"신왕이 죽었을 때 그의 영혼이 하늘로 갔다. 신들이 내려다보던 그 영원한 땅으로 돌아갔다."

고향별로 돌아갔다.

신과 인간을 연결하는 앙코르 톰의 무지개 다리에는 54 데바와 54 아수라의 거대상들이 나가뱀을 밧줄로 하여 줄다리기를 하고 있다.

$54 \times 2 = 108$

신왕을 알현한 중국 사신 추타콴의 기록이다.

" 황금의 탑, 그 꼭대기를 지배자가 밤마다 오른다. 거기에 머리 아홉 달린 뱀 수호신이 살고 있다. 밤마다 여자로 변하여 왕과 사랑을 나눈다."

캄보디아 신화는 지상의 신왕과 하늘의 나가 용자리와 짝지어졌다고

표현한다. 파라오의 신화는 별들의 짝짓기다.

자야바르만 1세부터 7세까지 420년 동안, 갑작스레 나타나 막대한 비용을 불구하고 꾸준히 건축한 이유가 무엇일까. 외계인의 자상한 배려다. 1220년과 2012년 무엇이 다르며, 무엇이 같은가.

자야바르만 7세가 죽기 직전인 1219년 기묘한 바욘을 완성하였다. 마음의 만다라의 완성이며, 우주 기둥의 완성이다. 바욘의 54개 석탑에는 각 4개의 얼굴이 있다.

$$54 \times 4 = 216 = 72 \times 3$$

세차운동 72년마다 1도, 2160년마다 30씩 움직인다. 21600년, 지구의 경사각에 대한 반(半)주기다.

다시 보자. 기원전 10500년 춘분 새벽의 하늘. 용자리 궤적의 최고점과 오리온자리 궤적의 최저점이다. 정남쪽에 오리온 - 오시리스가 있다. 인도에선 '시간인간' 이라 불렀고, 〈사자의 서〉에서도 말한다.

"나는 시간이고 오시리스다. 나는 뱀들로 변형을 이루었다."

헤르세스 문서의 잠언이다.

"위에서와 같이 아래에서도."

외계인 선조의 뜻에 따라 그들의 가르침이 뭔가를 알아야 한다.

앙코르 동쪽으로 경도 54도에 신비한 고고학 터가 있다. 비슷한 시기에 지어진 '난 마돌' 이란 폰페이 섬이다. 물속의 신전은 만다라 형태다. 일본 요나구니 해저 피라밋도 최소 1만년 전이다. 직선으로 올라가면 백두

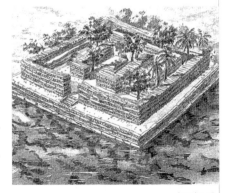

[그림 1-5]

산 근처다.

　*단군이 수도로 정한 아사달이다.

　폰페이 사람들의 신화다. [그림 1-5]

　"한 마리 용에 의해 신전을 분리하는 운하가 건설되었고, 현명한 사람들이 4개의 수도를 세우고 다시 버렸다."

　한 교수의 말이다.

　"12400년 전 지구의 자기극이 180도 뒤집혔음을 고지자기학 연구로 확정하였다. 적도가 북극이었다."

　정확히 기원전 10500년에서 800년 뒤인 기원전 9600년이다.

[그림 1-6]

태양은 6월 21일 가장 북쪽으로 기울고, 12월 21일 가장 남쪽으로 기운다. 경사각 23도다. 앙코르 동쪽 경도 72도에 키리바티 제도와 108도(기자 동쪽 180도)에 위치한 타히티(작가 서머셋 모음이 지은 소설 달과 6펜스에 나오는 화가 폴 고갱이 이사하여 살던 섬)에 기원을 알 수 없는 천문학적으로 일직선 배열의 거석구조물이 있다.

　앙코르 동쪽 144도에 이스터 섬이 있다. 주민들은 이스터 섬을 '세계의 배꼽'과 '하늘을 처다보는 두 눈'이라 불렀다.

　"우오케란 초능력자가 히바에서 왔을 때 이 땅은 지금보다 훨씬 더 컸다."

　기원전 10500년에는 바닷물이 100m 낮았다.

12

히바란 이집트에서 '신들의 조국'을 의미한다. 오우케의 지레인 '거대한 뱀'으로, 두 곳 다 홍수가 났다. 살아남은 자들은 '하늘을 닮은' 신탑을 세워 '재탄생'을 갈망하였다. 이스터 섬의 배무덤이다. [그림 1-6] 피라밋 내부의 배처럼 고향별로 날아가는 배다.

시조 신왕이 꿈에서 육체를 이탈한 영으로 섬을 둘러보곤 외쳤다.

"여기가 그 곳이다."

기원후 318년으로 600개가 넘는 거대석상이 조성되었다. 그들의 롱고롱고 문서는 '뒤집힌 좌우교대 서법'이다. 각 줄의 판 가장자리에 도달하면, 위아래가 바뀌어 되돌아가면서 다음 줄로 이어진다.

고대 이집트어 아쿠(akhu)는 '빛나는 존재', 이스터 섬의 아쿠(aku)는 '초자연적 영'이다.

거대석상, 남미 티아우아나코 경우는 에스파냐 사람에 의해 전승된 기록이 남아있다.

"거대한 돌덩어리들이 저절로 굴러와 제자리를 잡았다."

"휘파람을 불며, 돌덩어리들이 하나씩 새처럼 공중을 날아왔다."

이스터, 이집트, 앙코르의 모든 석상들이 '입과 눈'을 연다. 하늘로 쳐다보는 석상들, 외계인 선조를 기다린다.

2 경

* 빛보단 어둠이 크다 *

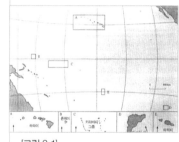

[그림 2-1]

앙코르 신전은 12월 동지, 3월 춘분 때 일출을 향해 있었다. 이스트 섬은 남반구라 6월 하지, 9월 추분이었다. 석상들의 방위가 발견됐다. [그림 2-1] 남태평양 지도. 이집트 태양신 이름 '라'(ra), 이스터 폴리네시아 말로 'raa' 태양이다. 마누 테라는 태양신이다. 마타(mata) 이스터어로 눈, 이집트에선 (maat) 우주조화와 다른 뜻으론 눈이다. 〈사자의 서〉에서 maat ra(마아트 라)는 '라의 눈' 인데, 이스터 섬에선 '마타 라니' 하늘의 눈이다.

하늘을 연구한 학식높은 자들이란 '탕가타 라니' 는 얼굴에 유색점 문신을 새겼다. (바둑알) 이집트 헬리오폴리스 천문학자는 치타 가죽 옷을 입었다. (바둑알) 바둑알로 맺어진다.

"창조되었을 때 섬은 (바둑판처럼) 회색과 검정 점박이 거미들의 거미줄처럼 길이 놓여졌고, 중심(천원자리)에 그가 앉아있었다. 어느 누구도 그 길의 시작과 끝을 알 수가 없었다."

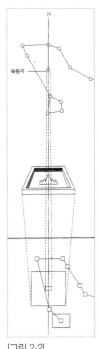

[그림 2-2]

그 점박이들이 흑백 바둑알처럼 음양 태극무늬를 이룬다. 석상들의 만다라.

이스터의 세계의 배꼽. 그리스의 델피 배꼽돌 '옴팔로스'. 유태인 성지는 지구표면의 중심이란 예루살렘의 지성소 속 언약궤의 기초돌. 앙코르 그물망에서 바욘 그리고 안데스 산맥 꼭대기에 세워진, 배꼽이란 뜻인 쿠스코다. [그림 2-2] 황도 북극의 지상 복제물로서 바욘, 앙코르 톰.

[그림 2-3]

앙코르 동쪽 180도, 기자 서쪽 108도 페루 파라카스만의 해상지성소인 '가지달린 촛대' 다. [그림 2-3] 남십자성은 은하수에서 잉카의 조상들이 죽

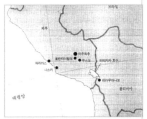

[그림 2-4]

은 자들의 땅으로 가는 입구로 여겼던 영역에 놓여 있다. 산(山)이다. [그림 2-4]은 파라카스 지도다.

나스카의 2천 년 전, 거대 선들은 UFO의 활주로 즉 착륙지점을 알리는 부호다. [그림 2-5] 대형바둑판도 보여준다. [그

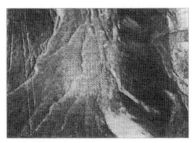

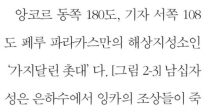

림 2-6] 나스카 동

[그림 2-5]

[그림 2-6]

쪽 300km 넘어 쿠스코가 있다. 고원지역 티티카카 호수 남단에 티아우아나코가 있다. 돌덩이 하나의 무게가 170톤의 거석 유적지다. 북쪽 650km에 잉카 수

도 쿠스코가 있다. '우리 아버지 태양' 인 창조신인 비코차가 하늘에서 땅으로 조상들을 내려보냈다. 한 신전의 문이다. [그림 2-7] '금성 포함 8묘성과 다른 모든 별들에게' 바쳐진 방을 나타냈는데, 풀어놓은 바둑판이다.

[그림 2-7]

사크사이우아만 거석물은 요나구니 수중물과 같은 분위기다. 피부가 하얀 금발의 비라코차신과 그의 전령들인 '빛나는 자들' 이 창조신화에 등장한다. 턱수염 '거인들' 이었다. 북쪽 올란타이탐보의 거석들은 가까운 지역에선 찾아볼 수 없다. 강 반대쪽 8km 거리다.

[그림 2-8]

마추픽추에는 '태양의 말뚝 '인 인티우아타나가 있다. 태양 일직선 정렬(춘, 추분점과 동,하지점 모두에 맞춘)을 명확하게 보여준다. 남십자자리, 여름 삼각형자리, 은하수 안의 어둔 구름별자리 중 밝은 '눈 별들' 그리고 묘성이다.

"매우 비상한 영적 감지력과 심오한 통찰력에 갖춘 이의 신성한 계시다."

윌리엄 설리반의 견해다.

티아우아나코 비라코차의 머리에 '19개의 햇살' 을 쓰고 있다. [그림 2-8] 지하내실을 암시한다. 19가 절대 태양은 아니며, 달의 19년 메톤 주기다. (오늘의 보름달과 똑같은 보름달을 보려면 19년 뒤다.) 19개 햇살이 달의 동, 하지점이란 상징성도 가능하다. 연대를 기원전 11000년으로 거슬러 올라간다.

칼리사시야의 2조각 중 하나 [그림 2-9]와 비라코차의 수염난 안면상은 제주도의 돌하르방과 같다. 제주도와 페루, 지구의 반대편이다. 서로 저 멀리 응시한다. 오른손에는 홀(광선총 같은)을, 왼손에는 UFO 모형을 들고있다. 바둑돌같은 원형의 반점이 새겨진 표범의상을 걸친 것으로 묘사되었다.

[그림 2-9]

" 위로부터 내려오지 않는 것은 아무것도 없다."

17세기 영국 철학자 베이컨이 〈새로운 아틀란티스〉를 썼다.

"드넓은 바다의 한 가운데 한 섬에 현자들이 살고 있다. 진보된 천문학자, 기하학자, 생화학자 등이 살고 있다. 여러 기술을 잘 알고있지만, 자신은 알려져 있지 않다. 그들은 빛의 상인들이다."

마야인들이 '바다 옆에서 나온 빛' 이라 불렀던 포폴 부에 있다.

" 그들은 다 보았다. 보이지도 않는 곳을 보았다. 우주 사방을, 하늘 둥근 천정의 4점을, 그리고 지구의 둥근 얼굴을 살폈다. 위대한 지혜였다."

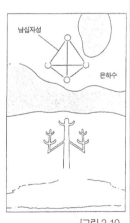
[그림 2-10]

고대 수메르와 이집트의 문서에 매우 유사한 생각들이 발견된다. 전세계적으로 유사한 신화가 분포되어 있다.

한 신화적 파라오가 말했다.

" 지구가 뒤집히고, 사람들이 물구나무 선 채, 별

들이 떨어지는 꿈을 꾸었다. 이대로 있을 수는 없다."

기원전 10500년은 외계인이 지구인과 직접 접촉한지 3번째였으며, 3000년이었다. 그들은 그들의 자손들에게 무엇을 말하는걸까. [그림2-10] 남십자성의 지상복제인 안데스의 '가지 달린 촛대'.

3경

* 보이는 세상보단 보이지 않는 세상이 크다 *

수메르의 신화에는 무수히 죽고 무수히 살아난다. 바둑의 말처럼. 하늘의 여왕인 '인안나' 가 지닌 〈메〉가 외계인이 건넨 바둑판 그림인 신성도(모든 만듦의 설계도가 되는)였다. 바둑의 말이 〈메〉가 되었다. 홀과 같은 기능이다. [그림 3-1] 인안나의 손에 든 원은 완전한 UFO의 권능을, 좌인의 타원형은 UFO가 떠남을, 우인

[그림 3-1]

의 부메랑은 UFO가 돌아옴을 의미한다.

'메', 한글 고어로는 '뫼' 로 한자는 산(山)이다. 중앙의 높은 선은 우주 기둥이다.

"태산이 높다 하되, 하늘 아래, 사람 다리 밑에 놓이더라."

사람 인(人)을 산(山) 위에 올리면, 인류 초기의 가옥이 된다. 아직도 여러 나라의 집이다. 곧 집의 중심이 우주의 중심이다. 또한 입체 바둑 상틀을 뜻하기도 한다. 사람(人)이 뒤집혀지고 그 위에 산(山)이 뒤집혀 올라

타면, 입체 바둑 하 틀이 된다.

[그림 3-2]

사람 인(人)을 전(田) 위에 올리면, 바둑 상 틀이다. 사람이 뒤집혀지고 그 위에 대지가 뒤집혀 올라타면, 바둑 하틀이다. 여기서의 경고가 곧 해답이 아닐까. 흔히 말하지 않는 가. 약이 곧 독이며, 독이 곧 약이라고.([그림 25-8] 참조)

바둑은 외계인의 1급 비밀이 담긴 판이다. 그 안에 외계인의 정보가 들어 있다. 한 마디로 만병통치약처럼 만문통쾌답이다. 그 비밀을 안다면

[그림 3-3]

모든 문제를 풀 수가 있다. [그림 3-3] 중국 신석기 시대 대접. 바둑판과 바둑행마 철학적 문양이 그려져 있다. 놀랍다. 바둑판 그대로다. [그림3-3] 기원전 9천 년 이란 채문 토기.

지구종말? 2012년 12월 21일. (12월 23일 계산도 있다) 마야력으로 표시한 마지막 날이다. 왜 그 다음의 달력표기를 하지 않았을까? 어떤 신화는 허풍과 과장으로 포장하나, 마야인은 보다 과학인이라 벼가 익으면 고개를 숙이듯, 겸손하게 미래를 이날까지만 적어 둔 것일까?

그들은 그날 태양계 별들이 은하계 별들 사이의 중심인 암흑지역과 일렬을 이루어서, 지구변화를 예견하여 종말을 경고하는 걸까? 아메리카서 먼 남태평양 한 섬(아포칼립스)을 찾아서 조망대를 설치하였다. 족장인 제사장과 천문학자가 모든 걸 관찰할 수 있는 최상의 자리다.

사실 달과 지구와의 간격이 아주 조금 좁혀졌다. 그 간격이 하루아침

에 더 좁혀지진 않더라도, 지구의 자기축과 중력축이 외부의 충격과 연관되지 않을까. 태양의 흑점이 백점으로 만들어진다면 가능한 일일 수도 있다. 그 날에…!

기울어지는 싯점에 그걸 느낄 사람은 별로 없다.

" 왜 이리 덥지?"

" 왜 이리 춥지?"

겨울의 그 날 일어나서 갑작스런 기후 변화에 당황할까. 적도의 나라가 극지방으로 옮겨지고, 겨울의 나라가 봄이 될까. 북반구의 나라가 남반구로 내려갈까. 싱크대의 물이 왼쪽으로 돌면서 내려가면 그렇다. 한반도가 북극에 놓일까?

우주력 계산은 마야가 가장 정교하다. 그들은 20일 1달이고, 13개월이 1년이다. 1년이 260일이다. 외계인 지구 1년 288일과 근접하다. 394년이 주기며, 기원전 3113년 8월 13일이 0 으로 시작한 날인데, 이집트 최초의 상형문자가 출현한 시기다.

기원전 그때 지구가 만들어진 게 아니다. 5000년이란 한 시기를 지칭할 뿐이다. 한 빙하기의 부분으로서도 작고, 공룡시대의 한 부분인 시기다. 그 주장으로 지구종말이 아니란 게 증명되었다고 쉽게 치부할 수 있을까?

기원전 2333년 단군이 나타난 해다. 아니다. 단지 하나가 빠졌지만 그게 엄청난 결과의 시초가 된다. 1이 빠졌다. 단기 4345년에서 1을 앞에 붙이면, 14345년이다 (2012년 기준).

외계인 2번째 방문 시 탄생했다. 진성 섞인이와 외계인의 자손이라 직통 하늘인이다.

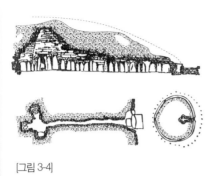

[그림 3-4]

마야력은 0일부터 시작한다. 1년의 달력은 3개였다. 260일은 성스런 해이고, 365일은 못된 해이고, 584일 (224일에서 360일 더한)은 금성의 공전주기였다. 금성은 특이하게도 다른 행성과는 달리 동쪽에서 서쪽으로 돈다.

마야력이 시작하던 날, 지구 반대편에서 불가사의한 기념물이 조성되었다. [그림 3-4] 단면도와 평면도. 기원전 3천년 경. 뉴그레인지. 돌무덤의 조그만 원형출입구로는 1년에 딱 하루 정확히 동짓날 12월 21일만 볕이 들게 되어있다. 놀랍지 않는가. 아일랜드 더블린 북쪽 뉴그레인지와 멕시코 태양 피라밋, 하늘로 삼각형이다. 허공의 꼭지점에 대답이 있을까?

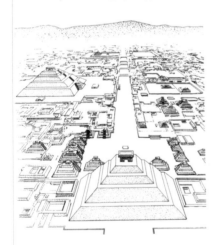

[그림 3-5]

달의 피라밋 뒤로 오해로 불려진 '죽은 자의 길' 왼쪽에 이집트 대피라밋에 필적하는 태양 피라밋이 있다. [그림 3-5] 아직 밝혀지지 않은 문명에 의해서 건설되었다는 '신들의 도시' 테오티우아칸의 복원도. 피라밋 옆, 들어올린 건축물 밑에 운모가 발견되었다. 일찌기 운모가 깔려있는 유적은 없었다.

이제 먼 여정을 위한 보따리를 마련하자. 우리의 선조인 외계인이 뭘 우리에게 가르쳐 주는지, 마야의 달력이 끝나는 건 뭘 말하는지, 이제 찾아나서 보자. 먼저 역사 속의 외계인을 찾아보자.

영국 스톤헨지도 천문학적 기하학을 이루는데, 특히 하지 일출에 중점을 두고 있다. 하지의식을 치루던 드루이드교 사제들이 72라는 숫자를 숭배한다. 고대 아일랜드 문자인 '오감'을 72획으로 암호를 만든다. 지금 히브리어와 영어 원조인 페니키아어의 알파벳은 22자다. 모음을 따로 표시하지 않지만 7개가 들어있다.

[그림 3-6]

22 나누기 7하면 3.142857…, 3.141592… 원 둘레 파이와 거의 같다. [그림3-6] 17세기 건축가 아니고 존스가 로마 시대의 신전으로 추정한 스톤헨지. 역경도표를 보는 [그림 3-7] 역경의 방위 느낌이다.

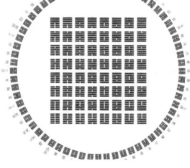

[그림 3-7]

프랑스 북서부 까르나크에는 3천기 이상의 선돌이 있다. 그곳에 동지 일출을 겨냥한 거석 출입구가 있다. 기원전

[그림 3-8]

4700년. 달관측용도 있는데, 여러 줄로 나란한 걸로 봐서 UFO의 활주로다.

최소한 2천 년 전 화강암 석비. 이디오피아 악숨. 20미터 넘는 높이에 300톤의 무게다. [그

림 3-8] 나란한 바둑알과 밭 전(田)자다. 바둑판의 축소며, 모든 사람들의 밭이다.

바둑의 음양이 가장 간단하다.

금이 간다. 만물은 금에서 나온다. 알에서 금이 나고 깨어지면 새끼가 나온다. 사람도 처음 갈라진 한 금(틈)에서 아기가 나온다. 금은 선이다. 가로로 선 2개, 세로로 선 2개면 4각형이 생긴다. 선 4개로 큰 섬을 얻는다. 백돌 4개로 흑돌 1개를 잡는 사활이다.

곧 한문으로 우물 정(井)이다. 바위에서 물이 나온다. 금(金)에서 바위가 되고, 바위에서 물이 나오고, 물에서 만물이 나온다. 순환의 이치다. 정(井)이 최소 공간이라면, 전(田)은 최대 공간의 약식이다.

4 경

*외계인도 실수를 범하고, 음모를 꾸민다 *

1만 5천 년 전쯤 외계인이 지구에 도래하였다. 그들의 여행목적은 수명연장이었다. 한시적으로 죽지않는 방법을 찾기 위해서였다. 물론 그들의 평균 수명은 천년이었다. 그리고 우주여행의 결과물로 한시적이나마 시간을 되돌리기도 한다.

지구는 그들의 목적지가 아니라 중간 기지로 사용되고, 실험지역으로 이용되기도 한다. 그들 실험 중의 하나가 지구인과의 교합이었다. 남미의 인디오처럼 지금의 인류는 지구 고유의 인류가 아니라 외계인과 섞인 인간이다. 바로 섞인이다.

인디오와 다른 건, 외형적 유전인자는 물려주지 않고, 선택된 지능인자만 심어줬다. 그래서 인류는 1만 5천 년 전쯤부터 비약적인 발전을 하였다. 터키에서 드러난 석기유적(기원전 1만 2천년)이 섞인이의 첫 작품에 가깝다. 그 뒤의 피라밋이 섞인이의 직품행렬이다. 그들이 만든 이유는 간단하다. 외계와의 교신을 위한 기지국의 건설이었다. 그 설계도도 바둑안에 다 있다.

미국 마이아미에 돌조각 공원이 있다. 크레인 등 최신 장비를 사용하더라도 혼자서 만들 수는 없는 규모다. 그런데 실제로 그걸 혼자서 만들었다. 그리고 무거운 돌을 옮기는 비밀을 보여주지 않으려 밤에 작업하였다. 사진에는 그와 함께 찍힌 삼각 지렛대 윗부분에 조그만 검은 상자가 놓여있었다. 그게 외계인이 선물한 부양기다. 그 비밀과 함께 이 세상을 떠났다 얼마 전에.

금성의 자전 주기는 -243일이고, 공전 주기는 이보다 19일 짧은 224일이다. 하루가 1년보다 더 길다.

"어르신. 나이가 어떠하옵니까?"

"허허. 100일 밖에 안되었네."

"아직 돌도 안되셨군요."

"자네는 어떤가?"

"소생은 100년 밖에 안되옵니다."

"허허. 같이 늙어가니, 친구로 합세."

금성에서의 대화는 색다르다.

안드로메다 은하와 우리 은하는 쌍둥이다. 광속(1광년 9조 4천 6백 km)으로 달려가면 250만 년 뒤에 해후한다. 그런 의지가 없다면 30억 년 뒤에는 만난다. 초속 300km로 접근하고 있으니. 다행히 30억 년 보단 더 걸린다. 팽창하는 거리는 생략하였으니.

태양도 지구랑 젖먹이 수준이라, 태양의 촛불은 앞으로 80억 년 이상 타오른다. 태양과 태양계가 초속 230km로 궤도를 따라 여행하여 은하수(우리 은하계)를 한바퀴 도는데 걸리는 시간이 2억 3천만 년이다. 대 피라밋은 230층이다.

2개의 팔을 가진 우리 은하계다. [그림 4-1] 갈릴레이 이전만 하더라도

[그림 4-1]

토성의 고리를 두 귀로 보았다.

태양에서 첫째 수성, 둘째 금성, 셋째 지구, 넷째 화성, 여섯째 토성, 다섯째 목성은 제일 큰 행성이며, 태양이 되려다 못된 이무기, 차가운 태양이다.

토성의 공전 주기는 거의 30년이다. 태양의 변방인 오르트 구름에서 나오는 어떤 혜성(일본인 발견자 이름 딴, 이케야세끼)은 태양을 1바퀴 도는 데 9천만 년이 걸린다.

수치에 겁먹을 이유는 없다. 남자의 정자는 하루 3억 개 정도 만들어지고, 우리 몸의 신경세포는 200억 개 이상이다. 지금의 지구인은 70억이고, 한 인간의 입 속에 담고있는 박테리아는 그 보다 많다.

미국에서 '태양에서의 3번째 바위' 라는 코미디 연속극이 있었다. 외계인들의 지구 탐험기를 코믹하게 그렸다. 그전에는 로빈스 윌리엄스가 젊었을 때 외계인 생활기를 재미나게 연기했는데 특히 상의를 거꾸로 입은 모습과 본부 우주선을 부를 때 '나누 나누' 하던 목소리가 일품이었다. 이슬람에서 말한다. [그림 4-2]

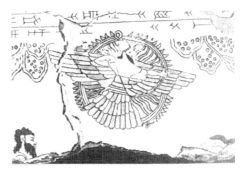

[그림 4-2]

"마흐디는 최후에 올 구원자다. 그는 라마단의 23번째 밤에 올 것이다."

코란에서 말하는 천사들이 내려오는 밤, 즉 권능의 밤이다. 짜라투스

투라는 아흐라 마즈다에게 시간의 끝에 대해 물었다. 그때가 되면 모든 걸 정복한 자들이 하늘에서 내려올 것이다. 완벽한 지능을 가진 불멸의 존재란 답이었다. 그건 외계인이 영원을 찾고있으며, 늘 돌아온다고 약속했다.

[그림 4-3]

월리 그룸린은 고대 티베트에 대해 기록한 저서에서, 초창기 왕들이 외계인들에게서 기원했음을 증명했다. 외계인이 가져왔다는 다목적 무기인 도르제도 있다. [그림 4-3] 그들이 미래에 와서 쓸 물건을 깊은 동굴에 숨겼다. 그 중에 하나가 바둑판이다. 피라밋의 숨겨진 방처럼. '1만년 이야기 티베트'라는 책이 있다.

홍수가 나서 땅을 다 덮더라도, 지진이 일어나서 지구를 다 뒤집더라도 지구의 섞인이는 여전히 산다. 살 수 있다는 열쇠가 바로 입체 바둑이다. 모든 것의 열쇠와 설명이 그 바둑이다. 그리스와 중국의 많은 철학자들이 우주의 발생을 여러 각도로 해석하였다. 그걸 하나로 통합할수 있는 게 바둑이다.

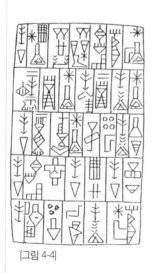

[그림 4-4]

언제부터 인간들이 하늘로 제사를 지냈을까? 외계인 그들이 다녀간 뒤부터였다. 그 뒤 천 년에 한번씩 다녀가면, 피라밋 건설이 구체화 되어갔다. 그건 외양이고, 내실은 바둑이었다. 바둑판 위에서 문자도 하나씩 영글어 갔다. [그림 4-4] 수메르 그림문자.

그림으로, 회화문자, 원시문자, 수수께끼 그림기호 그리고 완전한 문자로 자리잡았다. 현대의 전자회로도는 회화문자로 수용된다.

메소포타미아 지역을 인류 문명의 발상지라 한다. 기원 전 5천 년에 셈족이 정착하여, 기원 전 4천 년에 신석기 도시 문명을 이루었다. 기원 전 3500년에 수메르인이 이주하여 왔다. 그들은 이미 기원 전 8천 년에 터키에서 그들의 문명을 꽃피웠다.

"내 작은 신들은 노동을 감당할 수 없다며, 큰 신들에게 대항하였다."

작은 신들은 부족의 귀족이었고, 큰 신들은 외계인이었다. 그들의 권유로 보금자리를 떠나서, 낯선 우르 지역으로 이사한 만큼 당연한 요구였다. 수메르인들이 도시 국가를 열었고, 기원전 3100년에 청동기 시대를 열었고, 최초의 문자란 상형문자를 쐐기문자로 발전시켰다. 셈족의 사르곤이 나라를 통일시켜 세계의 중심이 되었다. 벽돌로 피라밋 같은 신전을 세웠다. 기원전 1950년에 멸망하여, 수메르인은 지상에서 자취를 감추었다. 실제론 터키로 돌아갔고, 남은 사람들은 다른 종족에 흡수되었다.

이상은 서양인의 시각이고, 동양에서도 알려진 신석기 시대 이전에 청동기 시대가 있었다. 선진문명을 일구었던 사라진 부족의 청동두상과 금박청동두상이다. 기원전 1600년 상나라 추정. 전설 속 나라로 최소한 4000년 전. [그림 4-5] 중국인의 얼굴이 아니고, 먼 이역에서 온 도시인 같다. 사천성 광한 삼성퇴 박물관. 현대에는 신이나 주술자로 연관지운

[그림 4-5]

다. 그외 많은 유물이 2개의 제사굴에서 나왔다.

[그림 4-6]

기원전 1만 년 일본 조몬 시대. [그림 4-6] 우주복을 입은 듯한 모습의 토기가 일본과 마야에 있다. [그림 4-7] 외계인의 모습인 듯한 세다리 토끼는 (외계인의 귀가 길어서) 비유로 본다. 중국에는 세다리 거북도 등장한다. 6세기 거문고를 연주하는 남자 토용이 발굴되었는데, 그 거문고가 바둑판이라 한들 무리는 아니다. [그림 4-8]

[그림 4-7]

아틀란티스가 홍수로 가라앉을 때 많은 사람들이 이집트로 이주하였고, 이집트에서도 지금의 피라밋 이전에 꽃핀 문화가 있었다. 아메리카 대륙에서도 뛰어난 문명을 펼쳤다. 그런 문명들이 외계인의 가르침에서 시작되었다.

[그림 4-8]

5 경

"다 그만한 이유가 있다."

외계인이 즐겨 쓰는 말이다.

바둑의 본디 말은 바독이다. 〈두시언해〉에 바독 쟝긔라, 〈박통사언해〉에 바독 두미 됴토다.

중국 하대 말 기원전 18세기에 바둑이 시작되었다는 건, 놀이로서의 기능만 부각시켰다.

지금 바둑판을 보자. 가로 세로 19로 위 361 지점이 있다. 그 위에 바둑돌을 놓아보자. 원형인 바둑돌을 사각으로 쌓아보자. 밑판 361 그 위로 18로 324, 17로 289 ⋯⋯ 3로 9, 2로 4, 1로 하나다.

도합 2,470돌로 피라밋을 이룬다. 홀수로는 선분이고, 짝수로는 선분과 선분 사이의 공간으로 단지 피라밋 축조용이다. 2,470에 0을 3개 붙이면, 2,470,000 로 실제 피라밋 돌이 된다.

지금 바둑판이 세로가 가로보다 3cm 긴 건, 두 대국자 간의 공간을 위하여 일본에서 300년 전 쯤 제작하였다. 돌바둑판 50과 49.5cm, 요순반 43.5와 46.5cm, 요즘 바둑판 42와 43cm이다. 42를 기준하면 반지름이 21cm이고, 돌 두께 보통은 0.8mm이나 최상급은 11.3mm이다. 현재로 보면 11.3 × 19 =214.7 즉 21.5cm다.

19로는 어떻게 나왔을까. 바둑은 팔로서 둔다. 팔의 기본 뼈는 1, 2, 3, 5, 8 이다. (무한히 소숫점이 이어지는 황금비율 1.618…이다. 피보나치 수열에서 황금분할이라 한다. 파이(pi). 인체의 전체와 부분들, 태양과 수성, 금성간의 거리 등) 그걸 합치면 19로 나온다.

그림 2-8을 기억한다. 마야의 19성, 19로를 의미한다.

19 곱하기 19는 361인데, 1년 365일에서 바둑 모서리 부분 4성 점을 합치면 365가 나온다. 천원 성점을 윤달에 활용하면 하루가 보태진다. 여기서 천원 성점은 꼭지점이라 0이 되기도, 한 번 더 1이 되기도 한다.

옛날 바둑판은 가로 세로 17로다. 그건 외계인 별, 즉 그들의 별 1년을 나타낸다. 17 곱하기 17은 289다. 천원을 빼면 그들의 1년은 288일이다. 백제 의자왕이 일본에 선물한 바둑돌은 300개다. 17로 바둑판을 위한 갯수다

*72 × 4 = 288 *

우리의 지구도 보다 원형에 가깝다면 360일이다. 17로를 피라밋으로 축조하면 1,785 돌이다. 천을 곱하면 1,785,000 돌로 실제 피라밋 돌이 된다. (물론 정사각 선분으로 하면 훨씬 적다. 짝수로의 수는 다 빼야 한다)

외계인이 처음 인류와 교접하고, 섞인이에게 전해준 그들의 문화와 문명이 바로 바둑이다. 그 바둑안에 다 담겨있는데, 그 당시 인간들의 머리로선 이해가 되지않았다. 초기엔 각 부족의 족장에게 바둑을 비밀로 전하게끔 하였다. 제사장이 따로 있으면 그에게 행하도록 하고, 족장이 제사장을 가르치도록 하였다. 그 당시는 막 섞인이가 나와서 전체 인류는 거의 단순한 동물에 지나지 않았다.

지금은 누구나 다 섞인이다. 어떤 이는 외계인의 인자를 많이 받았고, 어떤 이는 적게 받은 차이는 있다. 조상들이 섞인이의 결합으로 내려왔으면 많이, 한쪽만 받는 경우는 인자가 적을 수 있다. 아직도 동물에 가까운 원시 생활을 하더라도 그건 환경에 의해서고, 대도시에 살더라도 동물수준인 사람들이 많은 이유이다.

"하늘의 비밀"로 내려오던 바둑이 순한 아시아 인에겐 거의 그대로 전해졌고, 더러는 다른 용도로 쓰여졌고, 더러는 사라졌다. 사라졌어도 인간들의 깊숙한 의식에는 잠재되어 있다. 신비한 기로 내재되어서, 불현듯 자신의 힘보다 더 큰 힘이나 지성으로 나타나기도 한다.

족장이나 제사장에게 전해지던 것도 사람이 불어나서 자연스레 퍼져나갔다. 바둑은 아무나 이해하는 게 아닌 외계인의 지능게임이었지만, 섞인이의 능력이 유감없이 발휘되었다.

그 외 지역은 주로, 피라밋을 만들어 외계와의 접선과 천문학 연구로 그쳤다. 이집트와 아메리카 피라밋이 그 예다.

그 전 프랑스, 영국 등의 석기문물도 바둑에 기초한 초기 작품이다. 일본과 인도의 피라밋은 잠수되어 해저에 있다.

그러면 외계인 자신들은 17로 바둑을 즐겼는가. 아니다. 그들은 23로 바둑판이다. 한국의 순장바둑판은 19로 성점이 16이다. 보통 바둑판은 성점이 9개다. 천원 성점을 빼면 8개다. 그 8개가 바깥에서 4선에 놓여있다.

처음은 각 모서리 4의 4고, 다른 4는 4선을 유지한 채 각 성점의 복판이다. 옛날 한국바둑판은 변 성점 사이 복판에 한 성점을 더 넣었다. 8성점이 2번되었고, 천원을 합하면 17성점이다.

23로의 기원은, 지구인처럼 나열하면, 그들의 팔뼈는 1, 2, 3, 1, 3, 5, 8
이다. 간혹 6손가락이 나오는 게 그 흔적이다. 보다 이성적인 사람은 보
다 외계인의 고리가 많이 섞였다. 지구의 기울기 23도다.

그러면 23로 바둑판에서, 우리가 생각하고 두는 방식으로 두는걸까.
아니다. 성점은 빛을 발한다. 지금 우리가 즐기는 전자오락기에서 한층
더 발달된 걸로 보면 된다. 그들의 바탕면은 23 곱하기 23이라 529점이
있다.

개미는 2차원적으로 살아가며(원통 관속의 벌레가 앞뒤만 간다면 1차원),
3차원을 이해하지 못한다.

그들의 바둑은 우리처럼 평면 바둑이 아니라, 입체 바둑이다. 바둑틀
이라는 게 더 적합하나 기존 불림에 익숙한 걸 지속하겠다. 23으로 바탕
판에서 각각 22층을 더 올라가고, 밑으로도 22층이 더 내려가, 2개의 육
면체가 쌓여졌다. 한 면에 23 곱하기 23은 529점이고, 층은 44층이나 면
은 45라 총계로 23,805점이다.

평면에선 흑돌 하나를 잡으려면 백돌 4개가 필요하지만, 입체에선 2개
더하여 백돌 6개로 잡는다. 꼭지점에 있는 흑돌은 평면에선 2개지만 입
체에선 4개로 잡는다.

이치는 간단하나 두기엔 무지 어렵다. 평면바둑도 이 세상에서 제일
어려운건데 입체에선 몇 곱절 더 어렵다. 역시 패가 어렵다. 죽었다가 살
아나는 건 패밖에 없다 하지만, 입체에선 이루 형언하기도 어렵고, 더하
여 성점의 변환도 있다. 더하든지 빼는 방식이다.

상하 정육면체 바둑은 기본용이고, 실전용은 또 다르다. 바탕선에서
11칸까진 직선으로 올라가고, 그 선에서는 삼각으로 21로, 19로, 17로,

15로… 중앙까지 올라가면 상천원에서 끝나며 피라밋을 이룬다. 이건 축조용도 아니고, 입체바둑 그 자체다.

가장 근사한 고대건축물은 터키 마우솔로스의 영묘다. [그림 5-1] 제단 위의 영묘가 입체바둑 상틀을 보여준다. 꼭대기 조각품을 피라밋으로 연장한다. 그래서 529 곱하기 12면은 직육면체로 6,348점. 21로 441점, 19로, 17로, 합 1,771점 오면체 사각뿔 피라밋으로 총 8,119 교차점 입체바둑 상틀이 생긴다.

[그림 5-1]

그 방식을 밑으로 세면 하틀도 8,119점인데, 바탕면이 중복이라 그걸 감산하면 총합 15,709점으로 완성된다.

상틀만 보면 기와정자다. 한국의 정자처럼 외계인 고향별 공원에도 정자가 많다. 기가 가장 많이 모이는 곳이 정자 복판에서 어른 키 머리 위에 형성된다. 그들이 명상을 즐기는 곳이다. 하틀은 겉보기로 나무 팽이다.

고대엔 바둑알이 빨간 옥, 파란 옥 등이 있었듯, 그들의 바둑알도 모양과 색이 각각이라 거기에 따라 룰이 다르기도 하다. 왜 그런 놀이를 즐기는가. 그게 재미있기도 하지만 공부도 된다. 우주의 모든 신비와 죽음을 보다 더 이해하려 노력하기 때문이다. 바둑에서의 패로 죽음에서의 귀환을 엿본다. 블랙홀을 연구하는데도 그들의 입체바둑이 도움을 준다.

그런 바둑을 전하였건만 그 당시 사람들론 이해를 하지 못하였다. 단순 피라밋 형태로의 입체바둑만 알아챘다면, 바로 그들의 문명을 누렸을

텐데 역부족이었다. 그래서 외계인들이 직접 나서서 피라밋 건설에 도움을 주기도 하였다. 무거운 물체의 부양술이다. 지금 여러가지로 타당한 해석들이 많이 나온다. 흙 나르고 나중에 빼기, 지렛대 등. 그렇지만 그걸로 완벽하진 못하다. 갑작스런 인류의 발전에서부터 작금의 인간들의 눈부신 과학기술과 종교에서 나오는 기적들.

돌아가던 외계인이 그나마 만족한 건 중국의 주역이다. 그것이 이해되지 못하는 바둑을 대체한 커다란 철학이었다. 사실 바둑의 일부분에 지나지 않지만. 주역 또한 어렵고 어려운 천문학이지만 점서로 나타났다. 놀이로 나타난 바둑처럼. 당시에는 놀이보단 생존이 더 급하여, 점보기가 우선이었다.

한국에서 순장바둑으로 흑백 16개를 성점에 먼저 놓고 두는 게, 당시에 살기 바쁜데 놀이에 집착하여 많은 시간을 허비하여 그랬다지만, 본의도는 놀이보단 철학과 천문학에 천착하라는거였다.

훗날 우리 섞인이도 상틀 피라밋 입체바둑을 둘 것이다. 지금보다 더 높은 지적능력이 필요하지만, 가능할 시기는 온다. 그래도 외계인들의 23로 상하 입체바둑엔 견줄바 아니지만.

6 경

* 외계인은 왜 단군을 선택하였을까 *

우주를 뜻하는 코스모스의 꽃잎이 8개(8성)에 중앙은 천원이다.

꽃잎 안에 암술(암컷)과 수술(숫컷)이 있다. 천원은 곧 음, 양을 함께 가져, 하나를 더 할 수도 있고, 둘 다 없어지기도 한다. 합궁으로 재생산되면 더하고, 연이 닿지않으면 둘 다 무생산이다. 그러니 19로 바둑판 361에서 360이 되기도, 362가 되기도 한다.

고사에 의하면 요, 순임금이 그들의 어리석은 아들들을 일깨우느라 바둑을 만들었다지만, 이미 바둑은 그전부터 존재하였다. 그들의 아들들에게 천문학을 공부하라고 바둑을 가르쳤는데, 주위에선 그것마저 어리석게 보았기 때문이다. 바둑은 오래 전부터 국가가 생기기 전부터 족장 등 제사를 좌우하는 제사장에게 전해져 오던 우두머리의 전유물이었다.

인간들이 문자를 쓰기 훨씬 오래 전부터 바둑은 전해졌고, 문자의 발생에 바둑이 많은 역할을 하였다. 던져진 바둑돌 문양에서 추렸던 그림이 상형문자로 용이하게 쓰였고, 소리문자인 한글도 5천 년 전에 바둑판에서 만들어졌지만 글자는 제사장 등 일부 상위자에게만 전해졌고, 백성들은 단지 말로 사용하였다.

중국의 주역도 물론 바둑판에서 나왔다. 먼저 8괘와 64괘상을 복희가 만들었고, 주 문왕이 감옥에서 64괘상을 새로 다듬고 바로잡아 체계를 이루고, 그의 아들 또한 쫓겨나서 384효로 더하여 설명하였다.

1에서 10까지 각 숫자를 제곱하면 385다.

$1 \times 1 = 1$은 근본 수라 제외하면 384다.

3,000번이나 역을 읽었다는 공자가 10익 등을 더하여 완성된 모습을 보였다. 복희의 8개 방위도와 64괘 원도가 건곤 등으로 나타나 있다. 가장 구체적으로 표시된 건 기원 전 12세기 중국의 은나라 말, 주초 시기에 고대 상형문자로 기술된 점서였다. 후대에 많은 학자들이 해석서를 낳았다.

8 + 64 = 72

괘는 가로 긴줄 1개(—), 가로 짧은줄 2개(–)를 3층으로 하여 만든 상이라 괘상이라 하였다. 태극기에 나오는 중앙 음양어도는 물고기들이 서로 꼬리를 좇는 형상 또는 태아형상이라 무궁한 번식을 나타낸다. 천지음양이 쉬지않고 조화롭게 번영하는 걸 뜻한다.

태극기 각 모서리에 있는 3층 줄들이 8괘에서 따온 것이다. 3층인 괘상을 6층으로 하면 8 곱하기 8이라 64괘상이 나왔다. 천지만물의 형성과 멸 그리고 순환을 나타낸다. 8괘는 사상에서 생하고, 사상은 양의에서, 양의는 태극으로부터 생한다. 태극은 시공 이전이고, 양의는 태극이 한 번 소진한 음양, 사상은 2번 소진, 팔괘는 3번 소진한 것이다.

그 괘상들 모두 바둑판에선 쉽게 드러난다. 그게 바둑판에서 만들어진 증거 중 하나이다. 64괘상에서 다시 6을 곱하면 384 괘효사가 나온다. 인간사가 어찌 384 경우밖에 없겠느냐만, 그 당시도 인간사 복잡한 건

마찬가지였다.

역경을 점서로서 한다는 건, 다음 한 마디처럼 통계적 참고로 하여 현실의 상황을 대입시키면, 점괘도 무궁무진하다.

"지나간 과거의 일을 분명히 밝혀 장래의 일을 살핀다."

점을 보아서 미래를 예측한다는 거지, 미래를 확연히 보여주는 건 아니다. 외계인도 보여주진 못하였다. 그들은 가장 근사치로 그리고 많은 내용을 담을순 있었다. 그게 바둑이다. 피라밋도 피라밋 입체바둑으로 비밀을 다 밝힐 수 있다. 왜냐하면 피라밋 자체가 과거이기 때문이다.

역경이 첫째 점서로 드러내면서 자연계와 인간사 등의 사유를 논리적으로 전개한 고대철학의 원천이기도 하였지만, 천문학을 비롯한 외계와의 소통을 위한 바둑의 부분이자 바둑의 한 지침서다. 송대 역학자 유목은 〈역수구은도〉

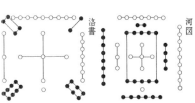

[그림 6-1]

에서 한대의 오행생성도를 "낙서"라 부르고, 구궁도를 "하도"라 불렀다. [그림 6-1, 6-2] 그걸 흑백 바둑알처럼 도식을 만들었는데, 낙서는 55수, 하도는 45수로 백점은 홀수, 흑점은 짝수라, 옛날 바둑에선 백을 먼저 두었다.

역경에서 점을 볼 때 신초(풀, 대나무 또는 바둑알, 고대에선 나무로도 바둑알을) 또는 거북등이나 동물뼈로 보았다. 대연의 수 50개로 사용했는데, 1개는 따로 제쳐두고, 49개를 두 묶음

[그림 6-2]

으로 나누어 괘상과 효의 수를 찾았다. 지금은 이론만 전해지지만, 실제 제사장이 행할 땐 바둑판에서 바둑알을 던져서 찾아냈다. 그 당시 바둑은 대중에게도 전파되었지만 놀이로 보여서 숨겼을 뿐이고 이해하기 더 힘들어지자 바둑이 숨은 내력이기도 했다.

조선의 정약용도 귀양살이에서 역경사전이란 심혈작에서 노양을 음으로, 노음을 양으로 전환하는 효변으로 역경의 새로운 지평을 열었다. 훗날 개혁사상가 김옥균이 일본으로 망명갔을 때, 일본 4명의 본인방(16세 수원, 17세 수영, 18세 수보, 21세 수재)과의 친교도 우연만은 아니다.

그의 암살로 그에게 맡겨진 일본 국보같은 바둑판 부목판이 행방불명된 건 안타깝다. 옥균(玉均)의 이름이 옥으로 나누는 것이니, 바둑을 두는 거다. 그의 아들 이름도 방길(房吉)이라 집을 지으면 좋다는 바둑의 이치였으나, 아버지처럼 불우한 일생으로 마감했다.

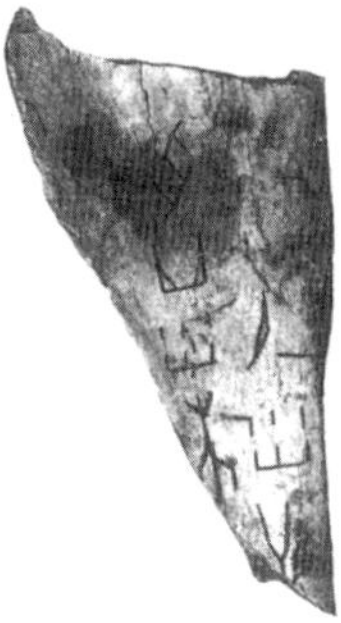

[그림 6-3]

김옥균의 바둑설이 전해진다. '바둑은 인도에서 조선으로 전해졌다'. 조선바둑은 16점을 선치하되, 나란히 놓진 못한다. 백이든 흑이든. 접바둑이라면 8점 선치 후 태극, 즉 천원에 놓고, 나머진 성점 사이에 놓는다. 물론 백이 먼저 둔다. 사석은 되돌려줘 일본식으로 상대 집을 메우지 않는다. [그림6-3] 기원전 1,200년 경 중국 갑골문 한자의 선조인 기호로서 바둑판을 보여준다.

기원전 2천 년 경. 해독되지 않는 인더스의 석제 인장. [그림 6-4] 왼쪽에 8성과 9성이 있다. 17성로다. 4세기 경 비츠야야나가 쓴 책 〈카마수트라〉에 64개의 주제가 담겨

[그림 6-4]

[그림 6-5]

있다. [그림 6-5] 면사로 만든 인도의 고대 시킴 바둑판
이다. 3선에 성점이다. [그림 6-6] 다른 게임판이다.

역경으로 수많은 연구서가 나왔는데, 역경의 창조
물인 바둑에 대한 연구가 소홀한 건 외계인의 지략적
인 복선이 들어맞은 것이다. 단지 놀이문화로 간주되

어 신비성이 결여되었지만, 지적능력에서 파생된 지혜가 돋보이는 시대
가 오니 저절로 신비성이 드러나는, 바둑수를 천수, 만수까지 본 초절정
고수의 안목이다. 차후 역경도 바둑에 의해 다시 재정립되어, 새로운 나
열, 평면괘상이 아니라 입체괘상이 나와 인간사, 우주사 통틀어 쉬이 설
명될 것이다.

바둑은 역경의 도움으로 새로운 수순을 얻어서, 바둑의 초고수들이
무지 많이 나올 것이다. 궁합이 역경에서 풀이되듯, 바둑에선 더 상세
한 교접으로 만물의 흥망성쇠가 다 보여진다. 단지 한판의 바둑으로
도. 남겨진 기보에서 바둑줄을 지우고, 남겨진 형상으로 유언처럼 점
칠 수 있으며, 그 형상 자체만으로도 예술품에 손색이 없다. 넓은 마음
으로 쳐다보자.

각각의 형상이 다양하며, 그 밑에 파도가 이는 바다를 깔면 더 훌륭한
그림이 나온다. 사막을 넣든, 초원을 넣든 그 형상에 부합된다면 하나의
바둑기보로 여러장의 예술품이 탄생한다. 바둑이 그림마저 그려준다. 어
떤 바탕인가에 따라서, 모든 걸 말해준다.

근래 바둑알을 이용하여 간략히 점치는 사람이 있다. 자연스런 흐름의
하나로 보면 되지만, 그가 더 뛰어났다든지 선각자란 의미는 아니다.

김옥균에 비견될 현대인물로는 바둑 프로 기사이면서 역경을 새로 발

건하는 문용직(文用直)이다. 내용으로 보면 김옥균보다 더 파격적이다. 이름도 직선을 쓰는 것이니, 역경과 바둑에 다 어울린다. 그의 스쳐가는 의문 하나는 왜 괘가 6획인가였다.

그 답은 23로 바둑판이다. 변에서 시작하되 변자체를 세지 않고 순번대로 천원을 향하면 중간이 6번째고, 그 다음 6번째가 천원이다. 바둑판 직각 지점에서 마늘모로 나아가도 마찬가지다.

물론 역으로 천원자체는 세지 않고 천원에서 출발하여 6번째고, 그 다음 6번째에서 직각지점 또는 가장자리에 도달한다. 6이란 숫자는 한마디론 벌집이다. 6각형은 가장 튼튼한 건축 기초구조물이고, 무한히 이어지는 우주의 본질을 설명하는, 입체를 드러내는 가장 간략한 평면에서의 그림이다. 또한 하늘에서 내려와 물이 되는 눈은 여섯모의 결정체다. 소금 등 많은 결정체가 정육면체다.

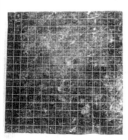

[그림 6-7]

천부경에서 중심수가 6이다.

* 6 = 1 + 2 + 3 = 1 × 2 × 3 *

현재 가장 오래된 바둑판은 돌로 만들어진 17로며(서기 182년), 깍여진 꼭지점에서 바로 변이 시작된다. [그림 6-7] 289점에서 천원을 빼면, 1년이 288일이고, 한달이 24일이라 12개월이면 288일이다. 1년 또한 24절기로 지금 지구보다 더 아름다운 그들 지구다.

그들이 두는 바둑 23로는 정중앙이 천원이고, 위로의 꼭지점은 상천원이고, 밑으로의 꼭지점은 하천원이다. 천원면 각 지점 4곳과 상천원, 하천원을 합한 숫자가 6이다. 아랍의 연금술사 자비르 이븐 하이얀은 17를 물리적 세상의 수적 기초라 하였다.

[그림 6-8]

[그림 6-8] 인도신 쉬바가 우주적 질서를 관장하는 춤을 춘다. 23개의 불꽃이다.

외계인 그들도 초보자에겐 23로 평면도이다. 우리들도 호적수와 오목을 둘 땐 바둑판이 좁아서 중단되는 경우가 있다.

외계인들이 오목을 두는 곳은 입체바둑판에서다. 단지 초보자에게 공간에서의 행마개념을 설명하기 위해서다. 그들 초보자는 23로 평면도를 마치면, 2단계가 상 정육면체이고, 3단계는 상하 정육면체, 4단계가 상하 피라밋 바둑판으로 고수들의 반열에 오른다. 모서리 부분만 따져도 사활문제가 엄청 어려울거 같으나 생각보단 쉽다. 물론 평면바둑보단 훨씬 어려운 건 사실이나 외계인 그들의 지각력은 섞인이와 비교할 수 없을 정도로 높다. 평면에선 우리와 같은 바둑알이나 입체에서 바둑알은 말그대로 구슬이다. 투명하나 색갈이 든 구슬이다.

김옥균이 인도를 지칭한 건, 인도의 수 단위는 일상생활에선 전연 상상할 수 없을 정도로 높다. 그게 아주 오래전부터 내려오는데, 그게 단지 인도인 그들만의 수개념은 아니다. 그들의 신화 역시 첨단 화력인 레이저 선과 원자탄 폭발마저 묘사하고 있다.

일본 신화도 그들의 조상은 하늘에서 내려오고 있다. 많은 나라의 창조 신화가 그러하듯 하늘이라면 외계가 아닌가. 알에서 태어난 왕이라든지, 허황된 얘기는 아니다. 지금의 과학과 의학의 기술로선 그걸 납득할 미래로 보지않는가. 조개에서 나타나는 여인은 상징이다. 조개를 보지라 부르니.

프랑스 철학자며 의학자인 데카르트는 "정념서설"에서 인체 피흐름을 중요시하였고, 동양의학에선 기 흐름마저 파악하고 있으며, 기를 실생활에서 널리 사용하고 있다.

그 기와 바둑 기는 한자로 다르지만, 우리에겐 같은 글자다. 바둑연구가 더 되면 거기서 파생되는 기가 놀랄 정도로 높다는 걸 알게 되어, 피라밋의 경이로움보다 더 할 것이다. 외계인은 그 기(氣)를 즐기기도 하고, 응용하기도 한다.

7 경

* 위대한 진실은 그 반대조차 위대한 진실이다 *

크리스토퍼 몰리

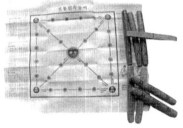

[그림 7-1]

4개의 막대기를 던져서, 앞뒤를 구분해서 정해진, 이동을 하는 윷놀이는 삼국시대 이전부터 전해오는 우리 고유의 민속놀이다. 한국인이면 다 안다. 그만큼 쉬운 놀이지만, 그 안에 천체가 있다. [그림 7-1] 천원은 태극무늬며, 모두 29성점이 있다. 간단한 입체바둑이다. 가로줄로 평면인 이 세상, 세로줄로 우주기둥이라 위는 상천원이며, 밑은 하천원이다. 높은 산봉우리가 병풍처럼 둘러싼 가운데 신성한 봉우리의 바위에 윷판이 새겨져 있다. [그림7-2]

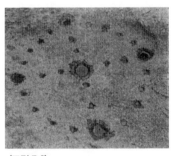

[그림 7-2]

4개의 효상이다. 던져서 나오는 상을 보자. 음음음양이면 도라 1차원 공간, 음음양양이면 개라 2차원 공간, 음양양양이면 걸이라 3차원 공간, 음음음음이면 윷이라

4차원 시공간, 양양양양이면 모라 초차원 공간이다. 모가 나오면 한번 더 한다. 2번의 삶이다. 시작지에서 모지점이면 직선으로 가지 않고, 꺾어서 지름길로 간다. 웜홀이다. 모모라 하면 불확정 명사이며, 우연과 필연의 가르침이기도 하다.

하나의 나무 줄기를 2등분해서, 반으로 나누면 모두 4개다. 줄기의 바깥이면 양이고, 안쪽이 나오면 음이다. 심오한 철학의 풀이는 나중에 부언하겠다.

거북이 등딱지가 6각형이다. [그림 7-3] 중앙 2개가 음양이고, 그 주위에 8개의 육각형이 받쳐주어 8괘가 나왔다. 서양인 슈나이더의 견해가 보태졌다.

[그림 7-3]

8 ×8 = 64 조합은 우주의 들숨과 날숨으로 묘사하는 체스판 64개의 흑백 정사각형과 같다. 시바를 모시는 힌두교 사원의 기초를 이루는 기하학이다. [그림 7-4] 지구를 정사각형으로 나타낸 체스판에서 달의 위상변화도 그리고 있다. [그림 7-5]

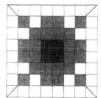

[그림 7-4]

기원전 1,600년 경 중국 상나라. 거북이 등딱지에 글자와 성점이 새겨져 있다. [그림 7-6] 중국에선 문자와 역경이 거북이 껍질에서 생성되었다. 7천 년 전 표기된 껍질도 발견된다.

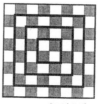

[그림 7-5]

3 × 3 , 마방진은 이슬람교, 인도의 자이나교, 티벳의 불교, 켈트족, 아프리카 샤머니즘, 유대인 신비주의 문화에서 많이 나타난다. 모두 바둑판에서 유래했기 때문이다. 사람 세포의 중심체는 9개의 고리로 이루어져 있

[그림 7-6]

다. 9 성점을 배열하는 네 가지 방법. [그림 7-7]

9성 배열에서 중간성점을 천원과 4귀 성점 사이에 옮

[그림 7-7]

기면(×), 미로가 그려진다. [그림 7-8]

티벳 불교의 신성한 8가지 상징 중 하나인 끝없는 매

듭이다. [그림 7-9] 3차원 공간, 최초의 불가능을 3으로

나타낸다.

[그림 7-8]

마야의 10이란 숫자는 긴 줄 2개지만, 사진에서처럼

[그림 7-10] 특이하게 간혹 나타난다. 10이 남자의 생식기

에서 정액이 흐른다. 남자는 9개의 구멍이, 여자는 10개의

구멍이 있다. (그래서 10의 새끼 등의 욕이 많다. 욕으로 무뇌,

운운하는데, '뇌에 주름이 없는 인간' 이라 부르는게 더 적절하

다. 얼굴 주름은 별로지만) 얼마전

[그림 7-9]

바둑책에서 논의된 걸 발췌하면,

단수치기 곤란한 걸 '고자좆' 이

라 명칭하였는데 이젠 사라졌다.

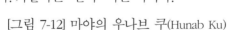

[그림7-10]

고대 유대교 카발라다. [그림 7-

11] 입체바둑판으로 보면 더 적당하다. 생명의 나무며 우주

의 이미지다. 곧 외계인 아버지의 이미지

다. 카발라는 '받다' 라는 의미다.

[그림 7-12] 마야의 우나브 쿠(Hunab Ku)

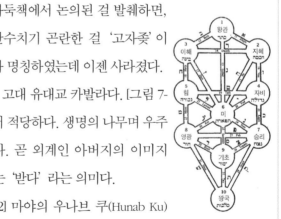

[그림 7-11]

는 태고의 어둠과 빛의 상

호작용을 잘 보여준다. [그림 7-13] 자이

나교의 우주생성도.

[그림 7-12]

[그림 7-13]

당나라 현종때 왕적신이 피난 도중 어느날 밤 외딴집을 찾아 하룻밤을 묵었다. 주인은 고부간뿐이었다. 등불도 없는 깜깜한 밤중에 여인들의 음성이 간간히 들렸다. 귀를 기울였다.

"어머님. 북의 3, 서의 6입니다."

"당연한가. 서의 3, 북의 6이네."

"네. 동의 4, 남의 6입니다."

"당연한가. 남의 4, 동의 6이네."

"네. 서의 4, 남의 10입니다."

"흠… 천원일세."

"어머님. 혜안이 대단하시옵니다."

"자넨 하순데, 그리 말씀하시면 아니되지요."

"네. 어머님."

그들의 조그만 웃음에 왕적신은 새삼 놀라웠다. 그들은 수담을, 아니 구담을 즐기고 있었다. 위는 북, 아래는 남, 우측은 동, 좌측은 서를 나타내고, 백은 위에서 흑은 밑에서 말로서 바둑돌을 놓고 있었다. 그 경지라면 상당한 고수에게만 가능한데, 어찌 이런 산골짜기 외딴집에 있는지 궁금하여 잠을 이룰 수가 없었다. 피난생활의 알 수 없는 미래에 대한 걱정이 겹쳐서.

다음 날 그들을 만나니 첫 눈에 비범함을 깨달았다. 선녀들이 아니곤 그토록 높은 바둑수를 알겠는가. 당나라 최고 고수였던 위기십결의 원작자로도 불리던 그가 시어머니께 바둑 한 수 지도를 부탁하였다. 왕적신이 5점 접바둑으로 60여수 지나자, 시어머닌 며느리를 불렀다.

" 아기야. 자네가 이분께 몇 수 가르쳐드리도록 하시게. 자넨 아직 배우는 학생이라, 하계에 지도할 수 있느니라."

"네, 어머님."

왕적신은 그녀에게서 지도를 받고나서야, 비록 접바둑이래도 판이 어울리게 둘 수가 있었다.

장안으로 돌아온 그는 현종의 기대를 저버리지 않는 스승이 되었다. 오래전엔 수장만 바둑을 하였고, 그 뒤엔 왕족 등 귀족이 하였고, 그 시대에는 주로 상류층에선 바둑을 즐겼다. 지금은 누구나 바둑을 둔다. 그 내력을 모른 채.

송대 주돈이는 우주의 형성과정을 태극도설의 저술에서 논하였다.

태극은 음양이 아직 나뉘지않은 상태, (아직 섞이지않은 케오스 전) 태극이 동(動)하여 양을 생하고, 정(靜)하여 음을 생하여, 음양이 합하여, 수, 화, 목, 금, 토(水, 火, 木, 金, 土)를 낳고, 음양오행이 상교하여 만물을 낳다. 태극은 무극에서 나와, 허(虛)가 기(氣)를 생하여, 허무를 세계의 본원으로 봤다. 그래서 비판을 받기도.

〈동 = 봄, 목성. 남 = 여름, 화성. 서 = 가을, 금성. 북 = 겨울, 수성. 중 = 토성.〉

그에 주희는 공을 허한 것으로 해석해서 그렇다며, 공은 모든 것을 가질 수 있는 바탕이라며 우주발생론을 바로 우주본체설로 전환시켰다. 인도 신화에선 무에서 유가 되어 모든 것이 창조된 걸로 묘사한다. 세상의 존재는 4분지 1만 현상으로 드러나 있고, 4분지 3은 본원적으로 실재하고 있다. 입체 바둑이 설명한다. 평면바둑이 4분지 1, 위에서 움직임이 4분지 1, 밑에서 움직임이 4분지 1, 정지상태에서의 존재이유로 4분지 1

을 마친다.

인도의 종교에서 드러난 남근 숭배사상은 한국과 일본에서의 남근석이 그걸 증거한다. 인도는 범신론이라 천신을 33 또는 3,339 또는 3천 5백만이라 본다. 3천 5백만은 3,339 에서 많다는 의미로 0을 3개 더 붙인 걸로 보고, 33은 평면바둑의 천원 성점과 상변 각점 2개를 연결한 삼각으로 3, 천원 성점과 하변 각점 2개를 연결한 삼각으로 3, 그래서 33의 천신이 나온다.

인도네시아, 바둑판 모양의 고인돌에 5성점이 있다. 각 성점으론 줄로 연결이 되어있다.

3,339는 평면바둑에 성점 3개씩 9성점이라 3,339라는 천신이 나온다. 하늘, 땅, 공간을 3계로 인식한다. 그런데 인식의 폭을 넓히자면, 입체바둑판에서의 중앙성점 3개인 상천원, 천원, 하천원으로 3, 성점 자체가 실재는 하나 보이지않아 세지않는 3으로 33이 된다.

요즘 바둑판은 다 9성점이다.

9의 배수 = 360 (3 + 6) = 666 (3 × 6)

인도신화에선 황금태아 등 황금이 자주 나오고, 황금시기 1,728,000년 등 1,296,000년, 864,000년, 432,000년이 나온다.

거기서 000 을 빼면 432년이란 주기가 나온다. 인도에서의 최고의 신을 꼽으라면 쉬바가 다수에 의해 뽑힐 것이다. 그는 춤을 잘추어 108 가지 춤을 갖고 있다. 불경에선 108가지 번뇌가 있다. 그 즐거움과 그 괴로움을 합하면 216이고, 그걸 2번하면 432다. 반은 남성이고, 반은 여성인 하리하라라는 합체신이 있다.

72×600 = 43,200 (8페이지 참조)

힌두교 성스러운 말라 목걸이와 불교 염주가 108개의 구슬이다.

현대 인도 명상수련에는 인도음악을 틀어놓고, 각자 눈감고 마음대로 춤을 추게 한다. 그냥 몸을 마음에 맡겨놓는다. 바둑으로 어떤 놀이를 하든 맡겨 두어라.

많은 나라에서 홍수신화가 나오는데, 인도에선 다 죽고 마누만 살아남는다. 노아의 방주가 얼마나 컸기에 모든 동물을 배에 다 실었겠느냐. 외계인의 도움을 얻지않고 어찌 동물을 다 살렸겠는가. 그건 지금 이해할 수있는 조그만 수정란 또는 DNA 추출로 설명이 된다. 우주란(Cosmic golden egg)이 물 가운데서 잉태되어 탄생되었다는 인도신화다. 힌두교에선 부처님도 한 신이다.

8 경

* 한일은, 하늘은 하나다 *

역경을 최초 바둑판 17로에 놓아본다. 17로 바둑판 반인 상변으로 8괘를 만든다. 양효는 바둑알 3개로 ─, 음효는 바둑알 2개로 –, 〈건〉하늘은 바둑알 9개로 b2, c2.... [하 도표 좌] 착점한다. 〈곤〉 땅은 바둑알 6개로, 〈진〉 우레는 바둑알 7개로, 〈손〉 바람은 바둑알 7개로, 〈감〉 물은 7개로, 〈이〉 불은 8개로, 〈간〉 산은 8개로, 〈태〉 못은 8개로 착점한다.

옛날엔 붉은색 등으로 상변 8괘를 놓았고, 지금은 흰돌로 한다.

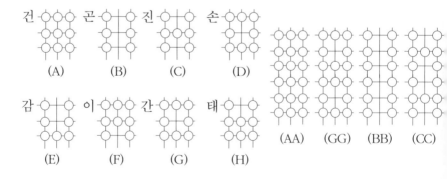

건 (A)　곤 (B)　진 (C)　손 (D)

감 (E)　이 (F)　간 (G)　태 (H)

(AA)　(GG)　(BB)　(CC)

순서를 태에서 건으로, 상하를 바꾸든지, 좌우를 바꿀 수도 있다. 막대기로 수를 센다면, 막대기 3개에 바둑알은 9개다. 19로에선 천원이 j 10이고, 17로에선 i 9 이다. 8괘를 2줄로 만드니, 그 사이는 한 칸 띄우고, 8괘와 64괘 사이는 두 칸을 띄운다. 그러면 17로가 완벽하다. 역경의 모든 상을 놓아보기에.

〈건괘〉는 알 18개로, 〈이괘〉는 알 16개로, 〈함괘〉는 알 15개로, 〈미제괘〉는 알 15개로 착점한다. [상 도표 위] 알 18개나 막대기론 6이라,

18-6=12 다. 알 12개는 막대기도 12개라, 12-12=0 이다.

14-10=4. 13-11=2. 16-8=8. 17-7=10. 15-9=6.

여기서 남는 숫자를 배열하면, 10, 0, 4, 2, 10, 6 이다.

하변은 옛날에 청색으로, 지금은 흑돌로 하자. 바둑판 상변에 8괘를 놓고, 바둑판 하변에 64괘를 4개씩 16번 놓으면 다 나온다. 딱 맞게. 8괘는 흐트리지 말고 둔 채로, 그걸 기준으로 하변에서 4괘씩 쉽게 모양을 만든다. 바둑알로.

[종사, 천부경에서 더 언급한다. 수의 일치에 전율이 일 것이다.]

17로 바둑은 1만년 훨씬 전부터 사용되었으나 주로 동물가죽으로 제사장으로 비전되어, 존재가능성이 극히 희박하다.

바둑이 전쟁을 시발로 한다면, 흑백 모두 대국자 앞에 자신들의 돌을 포진할 것이다. 그런데 옛날 중국은 4점, 한국은 16점을 선배치하는데, 나란히 하는 걸 금지한다. 체스판같이 흑백이 엇갈린다. 따지고보면 체스판도 동물가죽 바둑판이 시원이다.

흑과 백, 물과 불, 살과 뼈, 그걸 감싸는 게 가죽이다. 청옥과 홍옥 또는 백옥, 그걸 싸고 다니는 바둑판으론 동물가죽과 식물껍질이 적격이다.

그 가죽에 그려진 바둑판 문양이 얼룩진 상태라 모자이크식 체스판으로 자연스레 변형되었다. 천원 그게 바로 말처럼 하늘이지, 전쟁터의 중앙이 아니다. 게임이나 전쟁에선 천원의 의미가 별로 없다.

우물 정(井)에서 3차 마방진이, 체스판 문양이 시작된다. 일본에선 사전포석제가 아닌 자유포석제로 바둑을 부흥시킨 근간에는 천황의 힘이 막강한 막부로 옮겨져, 바둑의 중심이 황실에서 막부로 옮겨져 가능하였다. 바둑의 중심이 옮겨진건 옥쇄가 옮겨진거로 비유된다. 상징은 천황이나 실세는 모두 막부의 손아귀로 들어갔다.

조선은 왕실과 조정에서는 금하였지만, 사대부 집안에선 퍼지고 이어졌다. 바둑을 모르는 사대부라면 진짜 사대부가 아니었다. 양반축에도 끼이지 못하여 소외되어, 바둑을 폄하하기도 하였다. 있는 사람들의 드러내기인 요즘 골프처럼 그 당시는 그런 바둑이었다.

중국의 황제에게 바둑을 상대해 주던 관청 기대소가 별도로 있었다. 요즘 같으면 재벌의 비서실보단 기획실로 보인다. 대국시간은 황제에게 달렸다.

일본 막부시대에는 장군의 면전에서 두었는데, 사전에 많은 시간을 들였던 대국을 복기하는 경우도 있었다. 그걸 어성기라 불렀다. 어성기(御城棋)에서 어(御)는 임금에게만 붙이는 것 아닌가.

옛날엔 1수 착점에 8시간 소모되었으며, 각자 제한시간 40시간에 5개월에 걸쳐 두었다는 기록이 남아있다. 80시간이면 1년이 걸리지 않았겠느냐. 외계인 기준으로 보면 1년이 1달 밖에 되지 않는다. 그 당시 관전하던 사람 중에 섞인이가 아닌 외계인이 있었다면, 꼭 끔찍한 일은 아니다. 예수 탄생시 3인의 동방박사에 외계인 1명이 있다하지 않는가.

연구용이 오락용으로 남용되는 폐단을 막기 위해, 여러가지 처방을 하였으리라. 더러는 바둑을 폐기처분하였다. 남미에선 제사장만 만들던 환각물질이 일반인들에게 전해졌듯, 동양에선 바둑이 일반인에게도 전해졌다. 그런데 서양에선 그 비전이 비전으로만 이어지다 돌연 끊어졌다. 그들에겐 역경이나 바둑대국으로 전해지지 않았다. 오로지 수학적인 수의 개념으로만 발전시켰다. 그러다 예수의 탄생으로 바둑은 사라졌다. 수 자체가 더 신비로워졌다.

신비로운 외계인 선조의 자리는 진정 섞인이가 대신하였다. 그 점에는 외계인의 불만도 없었다.

" 세상사 한판의 바둑같다." 표현은 다음에도 적용된다.

"한 별의 운명도 한 판의 바둑과 같다."

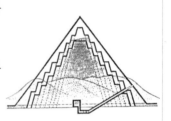

[그림 8-1]

수메르의 신전인 지구라트를 변형 시킨 이집트의 피라밋이다. [그림 8-1] 지구라트도 바둑이 기원이다. 물론 외계인 마음의 선경이다. [그림 8-2] 발사대에 세워져 있는 , 날고 있는 로켓이

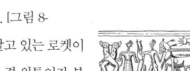

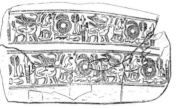

[그림 8-2]

다. [그림 8-3] 기원전 13세기 경 원통인장 복원품. 꼬리에서 불꽃을 뿜고 날 으는 로켓. [그림 8-4] 계단 위와 야자수 옆에 놓여진 로켓들.

[그림 8-3]

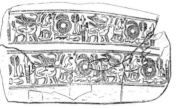

[그림 8-4]

신들의 하늘여행과 인간이 하늘로 오름을 쉠(shem)이나 무(mu)라 하였다. 로켓을 뜻한다. 길가메쉬 서사시에 나온다.

"신이여, 약속해 주소서. 제게 탄생의 나무를 주소서. 제 한계를 없애주소서. 제게 쉠을 드러내주소서."

쉠을 향해 경례하는 조두상들. [그림 8-5]

[그림 8-5]

[그림 8-6]

[그림 8-7]

우르크의 신전에서 발굴된 다단계 로켓 그림 [그림 8-6] 파라오 장례식에 배치된 로켓. [그림 8-7] 이집트의 무덤에서 발견된 로켓 보관소의 단면도. [그림 8-8] 쉠을 지키는 감시자. [그림

[그림 8-8]

[그림 8-9]

8-9] 원뿔형 헬멧과 보안경을 쓴 인물상. [그림 8-10]

[그림 8-10]

날개달린 거대 구조물 위로 독수리가 비상한

56

다. [그림 8-11]

황도 12궁과 태양계 12천체를 상징하는 수사왕의 경계석. [그림 8-12]

[그림 8-11]

신성한 하늘의 방에 신이 있다. [그림 8-13]

[그림 8-12]

로켓 발사 풍경과 하늘 비행 풍경을 묘사한 서사시 대목이다.

"번개가 번쩍이고 불꽃이 솟구쳤네. 구름이 솟아오르더니… 광채와 불꽃은 사라졌네. 땅에는 재로 내려졌네."

"땅은 조그만 언덕처럼 보이고 거대한 바다는 한 통의 물처럼 보이네."

[그림 8-13]

"땅은 사라졌다. 넓은 바다도 눈에서 사라졌다."

제2부

외계인과 UFO

9 경

"배우지 못함은 무거운 짐이다."

기원전 6세기에 탈레스가 말했다.

두 아이가 바둑을 둔다. 한 아이가 3, 3에 백돌을 놓았다. 다른 아이가 그 위에 흑돌을 놓았다. 미끄러진다. 다시 시도하는 데 또 미끄러진다.

"바둑알이 평평하면 놓을 수 있는데."

"얌마. 지금 씨빠구리하니?"

"아니. 바둑두잖아."

"근데 왜 거기 얹으려고 해. 다른 데 두지않고."

"그냥. 위에 두면 안 돼?"

"안 돼!"

"왜?"

"몰라."

"모르면서 왜 두지마라고 그래?"

"……"

〈착수 교대하는 법칙〉은 모든 게임이 그러하니, 하기 전부터 알고, 〈동행반복 금지의 원칙; 패를 바로 딸수없는 거〉은 좀 애매하더라도 룰이

60

그렇다면 이해가 된다.

결국 바둑에 대한 무지로 그들의 대국은 무산되고, 놀이는 마지막 알이 바둑판에 남는 사람이 이기는 알치기로 변했다.

바둑에 룰이 있다. 더러는 명시되지 않은 룰이 있다. 그러면 정해진 룰인 일수불퇴에 위배되지만, 그것보다 앞선 규정에 의한다. 모순이 모순을 깨는 경우가 많다. 뒤에 여러 번 나온다.

어릴 때 많은 놀이를 하였다. 석접놀이랄 수 있는 평평한 돌치기도 그 중에 하나다. 길다랗게 금을 긋고, 차례 정하는 건 주로 가위, 바위, 보로, 그 위에 진 사람이 돌을 세우면, 이긴 사람이 멀리서 자신의 돌을 던져 세워진 돌을 쓰러뜨리면 그 돌을 가진다. 그런데 맞추다 겹친 상태로 놓이면, 그걸 씨빠구리! 그러며 활짝 웃으며 던진 돌을 되려 따먹는다. 뺏긴 아이는 더 억울해한다. 왜 속된 말로 불렀는지, 뭘 상징하는지도 몰랐다. 짝짓기라 했음 자연스러운 성교육인데.

구슬굴려서 맞추기, 구슬 따먹기도 있었다. 그 중에서도 단연 따먹기에 가장 열광적이었다. 도박이었다. 많이 가진 아이가 손에 돌을 한 웅큼 쥐면 상대가 바닥에 자신이 원하는 만큼 내려놓곤 걸어서, 홀짝 중 하나를 불러서, 맞추면 그만큼 되받고, 지면 바닥에 놓인 구슬이 그에게 들어간다. 어떤 땐 세 사람이 한다. 한 사람이 쥐고, 두 사람이 각각 1, 2, 3의 칸에 구슬을 놓는다.

바둑에선 누가 먼저 돌을 착점하는가에 따라서 선착의 효가 상당하기에, 먼저 착점자가 바둑돌로서 덤으로 상대에게 몇점을 준다. 무승부를 안하기 위해서, 돌 반개가 늘 따라붙는다. 그래서 가위, 바위, 보같이 유치하겐 못하고, 한 사람이 손에 돌을 쥐면 상대가 홀짝으로 알아맞춰, 누가 먼저 두는가를 결정한다. 졌다는 표시를 투석이라 한다. 돌던지기. 뭐 비슷한 놀이처럼 보이나 거기엔 엄청난 차이가 있다. 그래도 모든 건 한 걸음부터 아닌가.

고대 그리스 철학자 중에 탈레스는, 우주는 물과 불로 이루어졌다고 하였다. 동양의 음양설과 유사하다. 바둑에선 흑백구분으로 음양이 표현 되지만, 그건 색깔구분일 뿐, 늙어서 양이 된다든지, 늙어서 음이 되는 게 아니다. 실제는 작용하는 형태로 음에서 바로 양이 되기도, 양에서 바로 음이 되기도 한다.

프랑스 등 언어에서도 명사가 남성형, 여성형으로 분류된다. 음양은 어디나 존재한다.

외계인에겐 동성애자가 없다. 그들은 상황에 따라 자유자재로 여자가 되기도, 남자가 되기도 한다. 음도 되어 보고, 양도 되어 보니, 서로를 잘 알고 잘 이해하니, 평화롭지 않을 수 없다. 또한 많은 자손을 얻고자 할 땐, 가장 적절한 방법이 그들의 성을 선택하면 된다. 적정치 수를 임의로 조절할 수 있다.

바빌론의 벨로스 신전에 있는 묘사다.

" 몸은 하나인데 머리가 두 개 였다. 하나는 남자였고 다른 하나는 여자였다. 신체의 다른 부분들은 남자와 여자의 특성을 동시에 갖고 있었다."

헤라클레이토스는 흐르는 강물에 발을 담그면, 그 다음에는 그 지점에 다시 넣을 수 없다고 하였다. 2번 담그지 못한다고. 그건 시간차로써 흐르는 물은 이미 떠났고, 새로운 물이 흐르니, 같은 곳엔 들어갈 수가 없다는 말이다.

사실 타임머신으로 시간여행을 한다면, 제일 위험한게 시간을 거슬러 올라간다든지, 시간을 앞질러 갈 때, 지형의 변화다. 막힌 공간에 도달하면, 화산속이라면, 바닷속이라면, 쉬이 빠져 나올 수가 있을까.

외계인은 그들 우주선에 지형, 공간 변화 등을 미리 파악하여 경고하게 되어있다. 그래도 위험은 상존하여, 아직은 멀리 가려고 하지 않는다. 그래서 그들도 우주변방엔 갈 엄두를 내지 않는다. 블랙홀과 화이트홀의 비밀을 풀기 전까진. 바둑에서 착점된 돌 위에 둘 수 없다는 것은 공간적 측면에서 두번 놓을 수 없다는 것이다. 놀이의 연속성을 위해 그렇지만, 입체바둑에선 정해진 공간에서 만큼은, 그 위에도 그 밑에도 둘 수가 있다. 그러니 외계인은 얼마나 많은 걸 보고 있는가. 그러나 우리도 그의 후손이라 공부를 한다면 좇아갈 수 있다. 하나씩 풀어가며.

성경 bible, bi~able… 상반된 2개를 할 수 있다는 뜻이다.

일본신화에선 ; 겨드랑이에서 알을 낳는다든지(다른 나라도), 옥구슬의 묘사가 많다. (팔로 바둑알을 나른다) 하늘과 땅이 처음 갈라질 때, 혼돈스러운 형상이 달걀같다. (바둑알을 세워서 비틀면 타원형이다. 뭉치려는 힘과 뻗어나가려는 힘이 서로 대립하기 때문에, 흩어지지 않고 안주하지 않는 움직임이 바로 삶이다. 상천원과 하천원을 극점으로 한 입체바둑판의 타원형 공간이다)

하늘의 구름다리(天浮橋)에서 최초의 남녀인 이자나기와 이자나미가 창으로 바다를 휘저어 최초의 육지인 섬을 만들었다. 그 천부교는 세로축과 가로축이 교차하는 장소에 출현한다. 그 다리는 수평도 되고, 상계와 하계를 잇는 수직이 되기도 하는 신비한 사다리의 역할도 한다. (천부교 정상이 입체바둑판에서의 상천원에 해당된다. 섬이 곧 최초의 바둑판이다)

이자나기 (경상도 발음, 이제 나기) 이자나미 (경상도 발음 이제 낡이), 이제 태어나기와 이제 태어남이다. 또한 비슷한 해석도 가능하다. 이자(이奢)라 이 사람 태어나기와 이 사람 태어남이다.

하늘다리 천부교와 단군경 하늘기호 천부(天符)와 발음이 같은 게 우연만은 아니다. 단군 웅녀의 전설을 일본식 미화(신화)로 표현하며, 차용한 원인이다. 한국의 견우와 직녀, 선녀와 나무꾼 (웅녀의 2세대식, 3세대식 등장)을 중국신화에서는 한묶음으로 드러낸다.

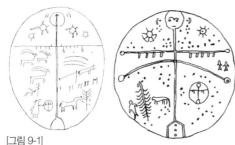

[그림 9-1]

알타이 주술사의 북에 그려진 우주축에 수직선으로 상천원, 하천원이, 수평선으로 줄과 백성점이 그려져 있다. [그림 9-1] 6세기 후쿠오까 고분 벽화엔 9성점의 바둑판이 보인다. 그 외 많은 점이 있다. [그림 9-2]

[그림 9-2]

많은 신을 낳은 이자나미는 불의 신을 낳다가 성기에 화상을 입고 죽는다. (태어난 곳으로 죽다. 바둑 패로 죽고 사는거와 유사한 은유다) 사랑한 아내를 잃은 이자나기는 불의 신의 목을 잘라버린다. 거기에서 많은 신이 태어나 산천초목을 이룬다.

그리고 이자나기는 아내를 되살리기 위해 지하세계로 간다. (입체바둑의 하계다) 그는 하계에서 머리장식과 빗을 던져서 포도열매와 죽순

으로 변하게하여 겨우 빠져나온다. (뒤쫓던 이가 바둑에서마냥 포도송이로 뭉쳤다)

죽은 아이를 화장하여 유해나 유치를 넣는, 정수리 부분에 구멍이 나 있는 여인 토우에는 유방과 자궁 사이에 길다란 음경으로 보이는 막대기가 그려져 있는데, 약그릇과 약을 가는 봉으로도 보이는, 그게 사다리란 느낌이다. 지상의 천원, 지하의 하천원, 하늘의 상천원을 연결하는.

지상으로 올라온 이자나기는 목욕을 하는데, 거기서도 많은 신이 나온다. 그 중에 구획하는 경계의 신과 먼 길 거리의 신도 나온다. (바둑판의 줄이 여기에 해당된다) 우주의 형성과정에서 공간이 분할되었다면 시간도 분할되었다. 왼눈을 씻자 태양의 여신 아마테라스, 오른눈을 씻자 달의 신 츠쿠요미, 코를 씻자 대기의 신 스사노오가 태어났다. 이론 서기에는 눈대신 왼손으로 백동거울을 본 것으로, 오른손으로 그리고 뒤돌아서서 본 것으로 태어났다 한다. 기뻐서 아마테라스에게 구슬목걸이를 선물하였다. (비전인 바둑알을 준 것이다)

하계에 내려간 츠쿠요미는 자신에게 유모처럼 극진히 대접하는 우케모치신을 오해하여, 더럽다며 칼로 베어죽인다. 그녀의 몸에서 많은 음식이 나오는데, 생식기에서 보리, 콩, 팥이 생겨났다. 아마테라스는 자신의 갈라진 틈을 드러냄으로, 빛을 되찾았다. 일본 한 신사의 축제(11월~2월) 때 나오는 곡이 33개다.

지상세계로 내려온 스사노오는 한 부부의 8 딸을 잡아먹은 8 골짜기와 8 산봉우리에 걸쳐있는 8 머리와 8 꼬리가 있는 뱀을 쓰려뜨린다. 8이 자주 등장한다.

중국 3세기 무렵 조조에게 불려간 학자 관로가 말하였다. 홍의는 남두성, 백의는 북두성, 북두는 9성이나 흩어지면 아홉이지만 합치면 하나라 하였다. (8성은 실재하나 천원에 부속된다) 북두는 죽음을, 남두는 삶을 의미한다. 홍의와 백의를 입은 신선에게 가서 수명을 연장받는 일화에 속해있다.

어머니신은 죽은 자식을 몇번이나 살려낸다(바둑의 패). 우는 신과 우는 토끼가 몇번이나 등장한다. (긴 귀와 긴 뒷다리는 입체바둑의 긴 귀이며, 다리일 수 있는 모서리다) 쥐가 나타나 도움을 준다. 쥐는 공룡시대에도 살았던 포유류라, '닌자거북이' 만화영화에선 스승으로 나온다.

자주 자궁의 형태를 묘사하여, 포대기로도 드러나는데, 바둑에선 축이다. 생사를 여러번 거듭한다.

모기껍질을 벗겨서 만든 옷을 입은 작은 신 스쿠나히코(少日子)는 나라를 만드는데 힘을 합쳤다.

다 되었느냐는 질문에 답하였다.

"다 된 곳도 있고, 아직 덜 된 곳도 있다."

그가 바둑신이란 의미다.

천상에서 타고내려온 바위배는 외계인의 우주선이고, (일본에는 바닷가로 떠밀려왔다는 우주선 그림이 신문기사에 남겨져있다) 하룻밤에 돌다리를 놓았다는 건 외계인의 도움을 받은거다. 천황에게 바치는 3가지 축복으론 백옥은 장수, 적옥은 건강, 청옥은 완벽한 용모를 기원한다. 옥옷을 입고 사라진다. 그 말은 바둑으로 숨다, 외계로 돌아간다는 말이다.

한 고사 ; 한 남자가 오색거북이를 만나 용궁 선경에 갔다가 잠시 고향에 다녀오기로 하였다. 3년만에 돌아온 고향은 3백년이 지나있었고, 그의 아내가 준 조개 옥갑, 그리울 때 냄새만 맡고 열지말라는 신신당부를 잊고 무심결에 열고는 하늘나라로 올라갔다. 3계를 보여준다. 이 고사에서 풍기는 의미는, 외계인이 지구를 재방문 시 가지는 소회이리라.

그 옥갑이 바둑알을 담는 바둑통이다. 바둑을 두면 현실세상으로 오고, 바둑을 두지않으면 선경에 머무른다. 머무름은 발전없이 지구인으로 남고, 두면 바둑의 지혜를 얻어 멀리서 온이(외계인)처럼 우주시대를 열 것이다.

중국의 설화, 바둑 한판에 도끼자루가 썩는다는 건 풍자적이지만 그건 그 당시는 우중들 때문이라 역으로 묘사된 것이다. 한편으론 시공간을 넘을 수 있는 가능성을 제시한다.

바위와 같은 영원한 생명, 바위배, 돌다리(바둑 행마라 보다 건축 진행)의 표현도, 바둑으로 설계도를 보며 흘리는 독백에서 나온다.

10 경

"석가모니는 단군교의 수제자였다."

아낙시만드로스는 눈에 보이지 않는 물질인 아페이론이 만물의 근원이라고 생각했다.

석가모니의 머리칼과 그리스와 이집트인들의 수염이 바둑알로 보이는건 망상일까. 그리스 신화에서 아내를 찾아 지하세계로 떠났다가, 이미 지하음식을 먹은 아내는 떠날 수 없어, 혼자 되돌아오는 게 일본신화와 거의 똑같다.

또한 자신의 성기를 찌르는 여신 얘기도 그렇다. 민족이동으로의 문화전달일수도 있지만, 바둑으로의 영적 가르침이 이어지고 있었다. 스키타이, 고구려, 일본 신화의 공통점은 천상의 신(상천원)과 물의 신(하천원)이 결혼하여 태어난 자손(천원)이다. 죽은 여신의 몸에서 작물이 생긴다는 신화(죽어야 산다는 것, 바둑에서의 승부관)는 세계적으로 분포되어있다.

단군신화에서 마늘과 쑥을 먹은 곰이 웅녀가 된다. 쑥을 한문으로 영애(靈艾)라 하였다. 영에 무당 무(巫)가 있다. 바둑판 같지 않는가. 바둑판으로 제사를 지내기도 한다. 무(巫) = 천상과 지상을 연결하는 우주기둥도 있다. 천지 사이에 사람들이 (人人)들이 있지 않는가.

거북이는 고구려 주몽도 돕고, 중국 우왕도 돕는다. 우왕의 아버지 곤이 죽어서 곰이 된다. 하늘엔 큰곰자리에 북두칠성이 있다.

중국신화에선 큰 돌 앞에서 말이 운다.(말은 바둑의 행마가 아니던가) 그 돌로 막히는게 아니고, 주로 그 돌 뒤에서 또는 돌에서 사람이 태어난다.

〈회남자〉(남명훈) ; "오색석을 단련하여 하늘구멍을 막고, 거북이 다리를 잘라 사극을 세웠다."

바둑판 다리가 사극이며, 하늘구멍은 바둑판 배꼽으로 드러난다. 입체바둑이 아닌 평면바둑으로, 바둑판을 뒤집으면 중앙에 4각형으로 파면서, 뒤집어진 피라밋 형태를 조각하였다.

일명 혈류라 칭하는 건 바둑훈수꾼 목을 칼로 잘라 그 머리를 뒤집어 세우는 천정이다. 향혈이라 칭하는 건 착점시 음향효과 장치 또는 단순한 장식이라고 한다.

혈류는 누구도 제사를 방해하지말라는 경고다. 일반 서민들도 남의 집 제사에 감놔라, 배놔라 못하거늘, 한 나라의 제사에 그 누가 참견하랴. 피라밋은 귀소본능으로 자연스레 그려진 문양이다.

〈회남자〉(천문훈) ; " 하늘구멍이 부러지고 땅을 연결하는 끈이 끊어져서, 하늘은 서북으로 기울고 해, 달, 별이 기울었다."

지구를 뚫고나간 별인 달이 위성으로 남지 않았다면, 지구가 기울어지지 않았다면 지금의 우리가 없다. 생명의 탄생은 없었다. 바다의 움직임으로, 땅의 움직임으로 우리도 움직인다.

신화에 가장 많이 등장하는 동물은 뱀이다. 주로 좋은 뜻으로 숭배도 하고, 나쁘게 해석하는 곳도 있다. 복희도 그의 피부에 뱀의 비늘을 가졌다. 현대인도 있다. 뱀의 껍질을 보면 전부 바둑판 문양이다. 색깔은 달라도. 태양숭배는 거의 다다. 옛날엔 태양이 여러개 있어, 지구인들이 힘들어 하기에, 떨어뜨렸다 한다. 그 말은 실제 태양을 떨어뜨린 게 아니고, 힘들게 사는 지구인을 외계인이 도와줬다는 말이다. 그들의 지능을 섞었으니 당연한 결과를 얻었다.

"열 개의 태양을 쏘아, 9개의 태양을 떨어뜨렸다. 그래서 9마리 까마귀가 떨어졌다."

9 해가 떨어진 게, 9 성점이며, 9 까마귀의 날개는 18이다. 지상 9 성점, 지하 9 성점이다.

까마귀 또는 까치를 현조(玄鳥)라 하였다. 검은새란 뜻이지만 같은 발음 현조로는현조(現祖), 나타난 우리의 조상이란 말도 된다. 옛날엔 까마귀가 해를 실어날랐다. 현조가 떨어뜨린 알을 삼켜 임신한 어머니로 태어난 은, 진나라 여진족 시조들이다. 우린 고구려 주몽, 신라 1왕 박혁거세, 4왕 탈해, 가야 수로왕이다. 다른 나라에도 많다.

각국 신화엔 처녀임신이 많이 나오는데, 시조를 신선하게 보이려는 의도도 있겠으나, 외계인이라 그리된 것이다. 여자 생식기 묘사가 더불어 많이 나온다. 비록 다산과 풍요를 나타내지만.

석접놀이(씨빠구리)에서 돌을 되려 뺏기는 건, 아이들의 놀이라 반대로 한 게 아니라, 석이 겹치면 밑에 석에서 임신하고 낳는 모계사회의 풍습에서 비롯된 것이다.

아이의 아버지인 하나의 남자가 아이의 어머니인 한 여자의 소유로 되는 것처럼 현대에서도 남자가 가정을 구성하면 양상은 그러하다.

돌무덤, 돌쌓기의 연장선에 피라밋이 놓이는 게 아니라, 돌쌓기는 피라밋의 기초공식이고, 돌무덤은 기초제례이다.

티벳불교에선 불경이 적힌 원통을 돌리기만 하여도, 그걸 다 읽은 걸로 인정한다. 조상인 외계인과의 교신을 위하여, 보다 더 하늘 가까이란 명제에 의해, 돌쌓기와 돌탑이 있다.

대만 태아족에선, 태초에 한 여인이 큰 돌위에 앉았는데, 바람이 다가와 들어가더니, 임신하여 자손을 보았다. 중국 마자석 전설에는, 하나의 흑색돌이 중간에서 흰색유즙을 흘린다. 그 돌을 만지면 임신한다. 돌을 만져 임신을 기원하는 건 지금 한국에서도 부지기수다.

바위가 갈라져서 나오는 탄생 설화도 많다. 돌로서의 성도 여성, 남성으로 나뉜다. 신뢰, 강함, 남근석 기원으론 남성을, 탄생으론 여성을 상징한다. 그것은 양성을 가질수있는 외계인과 같다. 바둑돌처럼. 브라질 문두르트족 신화에는, 점점 돌이 커져 하늘이 되고, 그 위로 태양이 출현하였다. 브라질 삼림에도 기하학적 구조를 가진 고대도시가 묻혀있다. 바둑의 선처럼 이어지고, 바둑의 성점처럼 마을이 있고, 그 일정한 선을 지나면 또 성점지역에 마을이 있다.

돌이 벌을 받으면 사람이 못되고, 바둑돌로만 쓰인다. 족적을 밟아 임신하는 건, 한판의 바둑을 복기로 새생명을 불어넣는 것과 같다. 진 쿠퍼는 맷돌을 숙명이라 상석이 하늘, 하석이 대지로 분류하였다. 회전하면 성행위 자체다. 입체바둑에선 윗판과 아래판으로 구분된다.

창세기 신화에서 홍수가 지나면, 친남매가 남아 근친상간으로 후대를 잇고, 그들의 갈등 감정을 맷돌로 비유하였다. 한국에선 철원의 달래산 고사가 남아있다. 홍수로 물에 흠뻑 젖었으니, 벌거숭이에 가까웠고, 그런 누이의 자태와 움직임에 참을수 없던 오빠는 뒤에서 자결하고 만다. 그걸 알게 된 누이는 한탄식을 이었다.

"달래나 보지. 달래나 보지."

매우 에로틱한 비극이다. 이미 그전에, 친남매가 산을 넘다가 비틀거리며 서로를 도우려다 지니고있던 숫절구와 암절구를 떨어뜨렸는데, 뒹굴다 떨어지면서 정확히 합체하는걸 보고 자연의 이치라, 그들도 생산하여 인류의 시조가 된 걸 풍자하였다.

〈산해경〉 "앞에는 옥으로 난간을 이룬 9개의 우물이 있다. (9성점) 눈 밝은 짐승이 지키는, 많은 신들이 거주하는 9개의 문이 있다. (성점이 피를 부르니) 8 물가에 붉은 물이 흐른다."

바둑판의 여덟 모서리에 피가 흘러 제사를 뜻한다. 초기 섞인이들이 외계인이 전해준 바둑판을 달리 해석해서, 산인간을 제물로 바쳤다.

하늘배로 보이듯, 돌은 하늘의 사자이기도 하였다. 큰바위에서 제사지내는 건, 전 구성원이 모였을 때다. 제사장 혼자서는 바둑판에서 연구하며 결말을 얻어, 비전에 예의를 다하였다. 무(巫)의 우주기둥(cosmic pole)이 사자가 되어, 곧 제사장 자신이 생사를 오가는 힘을 발휘하였다. 희생자에게는 마약을 먹여서 고통을 잊게 하였다.

돌에 재생의 연속성을 기원하였다. 바둑에서의 연속성인 삶은 패다. 불경에선 돌이 나한 등으로 변한다. 필요한 건 늘 주위에 있다는 걸 깨우쳐주지만, 한편으론 필요한 걸 못보고 지나친다. 바로 조상인 외계인을, 그래서 돌이 운다. 바둑에선 수시로 나온다.

11 경

* 돈의 형태를 갖춘 것도 바둑알에서 비롯되었다 *

최초 인류문자로 보는 수메르어는 매우 독특하고, 현재까지 알려져있는 지구상 어떤 언어와도 연관성이 없다. 그런데 바둑판 위에선 역경처럼 쉬이 조성된다. 고대 바빌로니아 판에, 수메르 판은 없고, 최고의 신이 "운명의 서판"을 갖고 있었다.

절대적 힘을 가진 그 서판이 바둑판이란 추정은 무리일까?

' 최초의 학교', '최초의 모세', '최초의 노아', '최초의 부활' 등 최초란 수식어 39가지를 열거한 책이 있듯이, 현재까진 인류 최초의 발상지다.

[그림 11-1]

"anunnaki" 들이 수메르인에게 전해 주었다고 기술되었다. 하늘로부터 (anun) 땅(ki) 으로 나(na) 온 사람들, 곧 외계인이다. 〈구약성서〉에서는 아나킴(anakim)으로 변형되었고, 〈창세기〉에선 하늘에서 내려와 사람의 딸들과 혼인했다는 사람들을 네필림

(nefilim)이라 했다.

[그림 11-1] 수메르의 원통인장 그림. UFO와 성점. 나무 위의 ⓧ자 별은 중국의 돌바둑판에 새겨있는 성점 문양과 똑 같다. [그림 6-6] 참조, 돌바둑판 좌상에 새겨져 있다. [그림 11-2] 뱀을 통해 성지식을 전하는 엔키(중앙)와 화가 난 엔릴(왼쪽 끝) [그림11-3]

[그림 11-2]

[그림 11-3]

[그림 11-4]

상징화된 눈의 신전은 고리형 안테나를 설치하였다. [그림11-4] 기원전 4세기 페니키아 금화에는 날개 달린 수레가 있다.

[그림 11-5] 이스라엘 '텔 가술' 에서 발견된 소형 UFO 그림들과 [그림 11-6] 페니키아의 동전에 그려진 신전

[그림 11-5]

[그림 11-6]

은 입체바둑판으로 진화되는 설명이 가능하다. 천원에 로켓이 있다. 매우 귀중한 자료다.

하늘에서의 강림신화는 숱하다. 그게 꼭 성인화, 위인화 만은 아니다. 춘추전국시대 초나라 소왕은 신하에게 물었다.

" 주서를 보니 중과 려라는 천신이 천지사이의 통로를 끊어 왕래가 중단되었다는데, 그렇지 않았다면 하계의 사람들이 하늘에 올라갈 수 있겠는가?"

[그림 11-7]

[그림 11-7] 이집트 사카라 왕묘에서 발굴된 모형 비행기. 똑같이 만들어 날린 결과는 놀라운 비행거리였다. 마야유물에서도 마찬가지였다.

[그림 11-8]

기원전 2100년 경 바빌론. [그림 11-8] 동물가죽 바둑판을 점술용 점토판으로 기록하였다.

기원전 3천 년 무렵, 메소포타미아 남부에 슈메르인의 도시 국가가 많았다. 샤마시에 보면, 바퀴같은 원판에 중심원이 있고 날카로운 피라밋이 4방위로 뻗어서 바갈 원 둘레에 닿는데, 그 바퀴를 2줄로 묶어서 한 사람이 위에서 조종한다. 그게 피라밋 건축에서 무거운 돌을 쉬이 부양하는 걸 보여준다. 제사장이 손에 든 도구(평행추 같은)도 무관하지 않다. [그림 11-9]

[그림 11-9]

길가메시 서사시에선 3분지 1은 인간이고, 3분지 2는 신인 신이 존재한다. 외계인을 그리 볼 수도 있다. 고대 소아시아에서, 뱀신을 사각 무늬없이 그리고, 그 위에 따로 조그만 50여 개의 흰원으로 그려놓았다. [그림 11-10]

[그림 11-10]

신에게 제물을 바치는 히타이트 왕의 점토판에는 상공에서 그걸 지켜보는 외계인이 그려져 있다. [그림 11-11]

[그림 11-11]

고대 이라크 만다교 신화에는 푸티힐이 나온다. 검은 물속에서 빛의

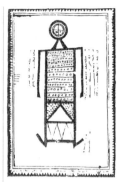
[그림 11-12]

세계로 나와 천상계로 가서 "다시 살게하는 불의 옷"을 받았다. 그 옷을 입고 물속에서 빙빙 돌자 대지가 생기고, 하늘에는 지붕이 생겼다. [그림 11-12] 바둑과 역경이 다 들어있는 그림이다.

북유럽 신화에선 큰 맷돌을 두 여인이 돌렸다. 그 맷돌은 모든 걸 만들어낼 수 있었다. 맷돌을 바둑알로 보면 곧 음양석과 음양설로 모든 게 해석된다.

아일랜드 신화에선 죽은 전사자들이 샘물에서 되살아나 걸어나왔다. 우물(井)이 떠오른다. 바둑판에서 죽은 돌이 살아난다. 3일간 시간을 끌고, 9 초록 파도가 있는 곳으로 피난하였다. 바둑판에서의 기 파동이다.

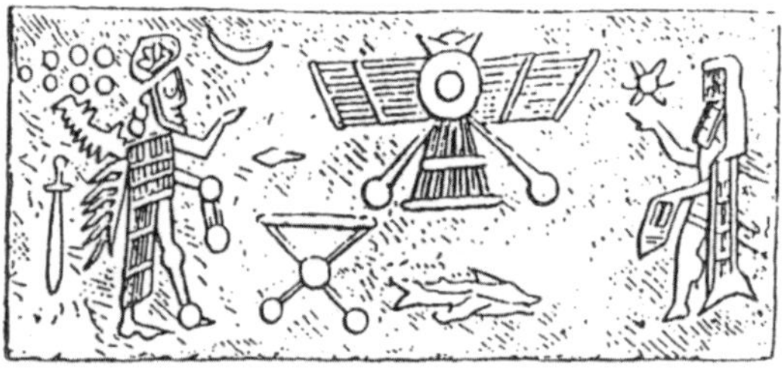

인도 빛의 신 아후라 마즈다의 날개와 이집트 태양신 문양이 비슷하다. [그림 11-13] 수메르의 인장에도 보인다. 우주선의 행성간 비행을 보여준다.

[그림 11-13]

순환기가 1만 2천 년이고, 마지막 3천 년이 시작될 때 조로아스터('짜라투스트라는 이렇게 말하였다' 니체의 저서)가 이란에서 태어났다. 그가 죽은 후 천 년마다 구세주가 출현했다. 외계인의 방문 주기다.

중국 소수민족 바이족에선, 태초에 바다만 있었다.

어느 날 바닷물이 수직으로 올라가 하늘에 큰 구멍을 뚫어서 바닷물이 빠지자, 2개의 태양이 나타났다. 태양이 서로 부딪쳐, 작은 게 깨어져 달이 되고, 불꽃으로 튀었던 게 별이다. 바닷물이 하늘을 여는 건 블랙홀의 의미다.

동파문자를 갖고있는 나시족에선, 9 숲을 9 도끼로 자르고, 호랑이 젖 3방울을 가져와라. 오로론족에선, 나뉜 아이의 반은 곰이 되고, 반은 사람이 된다. 단군에서의 곰과 호랑이의 등장이 떠오르고, 9성점을 9성점으로 쪼개면 반반으로 천상과 지하로 간다.

아프리카 도곤족에선, 천지신 안마는 여체인 대지의 음핵인 흰개미 무덤이 남성의 본능을 드러내어 반항하자, 그걸 무너뜨리고 음핵이 제거된 대지와 교접하였다. 바둑판에 백돌 2개, 흑돌 2개를 놓아보면 흰개미, 개미같다. 우주의 감시자이며, 인류의 아버지를 놈모라고 불렀다. [그림 11-14] 도곤족 마을에 있는 바둑판 해설도로 손색이 없다.

[그림 11-14]

양성기를 지닌 모신 마우에겐 장난꾸러기 아들이 있었다.

인도네시아 베말레족에선, 나선형 문을 나서면 사람이 되고, 못하면 짐승이 되었다. 축이 나선형이다. 입체바둑에선 축아닌 축으로 나중에 드러난다. 50수를 보는 게 아니라 1천 수를 본다. 1천 개의 손을 가진 게 아니라 1천 개의 머리를 가진듯 하다. 신화에서 3개의 눈을 가진 사람이 나오듯, 따로 마음의 눈을 갖고 있다. 우리가 돌로써 피라밋을 쌓았다면, 그들은 마음벽돌로 피라밋을 쌓았다. 이치는 간단하다. 치열한 오목놀이가 전국을 돌다보면 예정되지 않은 곳에서 마무리되듯.

입체바둑이 끝난 돌의 배치는 구름보다 아름답다. 우주의 별이다.

하와이, 뉴질랜드, 이스터 섬을 선으로 연결하면 거의 정 3각형이다. 이스터 섬이 멸망한 건 너무 번창해서다. 달이 기울면 지는거란 뜻이 아니라, 좁은 섬에서 식량부족으로 서로 싸웠기 때문이다. 그들 신화에선 인간을 불사로 만들려다 실패하는 걸 보여준다.

브라질 카시나와족에서, 베어진 처녀머리는 방황 끝에 달이 되었다. 그녀의 눈은 별이 되고, 피는 무지개가 되었다. 그때부터 여자들은 월경을 하고, 그 피가 몸 안에서 뭉치면 검은 아이가, 정액이 뭉치면 흰 아이가 출생한다. 바둑에선, 흑은 피라 동하고, 백은 정기라 정으로 대응한다.

브라질 삼림에는 고대도시가 묻혀있다. 바둑판처럼 한 성점 천원에 마을이 생기면, 곧장 길이 4방으로 뻗어서 (바둑선을 따르듯), 다른 성점에서 또 부락을 이루고, 그게 거듭되었다.

12 경

* 신비는 공기 속에 있다 *

기원전 5세기 중국의 묵자는 바늘구멍을 통과하여 어둔 방으로 들어가는 광선은 구멍의 반대쪽 벽에 상이 거꾸로 맺는다는 걸 알았다.

한국에서의 화점은 화점(花点)이 아니라 화점(火点)이었다. 그래서 한국에선 삭혀도 되는 걸 삭히지 못하는 저급병 홧병이 있다.

"꽃을 꽃이라 부르지 못하고 (보지를 보지 못하고), 불을 불이라 부르지 못하여 (자지를 자지 못하고) 홧병이 생긴거다."

한국의 순장바둑판을 보면 화점의 표시가 다르다. 모서리와 천원 자리는 4개의 횃불이 있다. 4 × 5 = 20

변의 자리엔 2개의 횃불이 있다. 2 × 12 = 24 . 도합 44개의 횃불을 더하면 4 + 4 = 8 이다. 그 횃불은 봉화대를 표시한다. 바로 선조들을 안내하는, 여덟 번 째 알파벳 (H) 상공에서 보는 헬기 착륙장처럼, 봉화대가 우주선 착륙장을 보여준다.

고대 거석문화는 주로 천문학을 연구하고 아울러 물을 안내하여 일거양득이라면, 하나 더 보태어 착륙장 구실도 하였다. 최초인 터키 거석문화, 프랑스 선돌 군락지, 영국의 스톤헨지 등.

실크로드를 살펴보면, 사막지역에서도 지하로 수로가 흐르고 있다. 척박한데 살아남으려면 물이다. 물이 있어야 섬에서 사람이 산다. 그 수로도 외계인의 힘이 보태졌다. 남미 대형 도형은 하늘에서만 구분이 된다. 그것도 물을 부르지만, 우주선의 착륙장이다. 아프리카의 땅밑으로 흐르는 강은 자연이며, 수로의 본보기다.

바둑에서 양면성이 자주 나온다. 기초단계론, 동남의재북, 북을 치려면 남에서 도모하라. 신화에서도 양면성이 많다. 성점이 바둑 기능적 관점에서의 위치가 아니라, 건축 구조적 기둥으로서의 위치를 말한다.

평면에서 17층 또는 19층 또는 23층으로 쌓으려면, 중앙의 천원은 형이상학적 성점으로 남고, 나머지 8성점은 형상학적 형이하학적 기둥점으로 표시된다. 8성이 흩어지면 8개가 되고, 모이면 하나라는건 우주기둥으로서의 대의적 관점이다.

제레미 나어비의 저서 우주뱀=DNA(the cosmic serpent DNA and the origins of knowledge).

아마존 원주민들이 환각물질의 약초를 만들어 쓴다. 뇌에서 한 식물이 약리작용을 하는데, 뇌의 효소에서 그걸 원천적으로 차단하는걸, 다른 한 식물이 그 차단을 막아준다. 8만 여 가지 식물 중에서 어찌 그 2 식물을 환각제로 조합하였을까. 확률적으론 거의 희박하다.

오랜 세월로 축적된 지식이 아니라, 외계인이 일러준 화학지식이다. 제사장이 주로 제사용으로 쓰다가 나라가 해체되면서, 민간에게 알려졌다. 한국의 궁중음식을 이제는 모든 국민이 먹듯이. 중앙아시아의 무사들도 결전 전엔 환각물질을 썼다.

뚜끼노인은 우주의 창조자가 쿠라레(근육마취물질, 수천년전부터 원숭이를 생포하는데 쓰는 독으로 화살에 발라 쏜
다)를 줬다고 한다. 제사장인 샤먼을 서양
에선 이렇게 기술하였다.

[그림 12-1]

"영혼이 육체를 떠나 천상계로 가거나
지하계로 간다. 영(靈)들에
게서 직접 배운 〈비밀의 언
어〉로 말하고, 사다리나 나
선형 계단을 타고 오르내

[그림 12-2]

린다."

인간의 성교체위에서 위 아래를 교차하듯, 뱀들이
합교하듯, 쌍둥이 뱀 두마리가 머리를 위 아래 꼬인거
나, 사다리가 나선형으로 꼬인 게 바로 DNA 다. [그림
12-1] 마야와 수메르의 합사다. [그림 12-2]

하늘밧줄로 불리는 덩굴을 하늘과 대지를 묶었던
닻줄이라 하였다. 우주선의 닻을 피라밋 형태로 묘사
할 수도 있다. [그림 12-3]

[그림 12-3]

확대한 나뭇잎 하나에서도 조직적이고 공학적인
측면을 보여준다. [그림 12-4] 마야의 건축양상도 이와
같다.

우주그림 속의 〈천상의 뱀〉을 보여줬다.

[그림 12-4]

" 태초에 여기 이 땅, 지구가 생겨나기 전, 우리의 가
장 오랜 선조는 다른 지구에 살고 있었다."

다른 지역의 인류와 4만 년이나 고립된, 인도네시아에서 건너 간, 호주

[그림12-5]

원주민과 아마존 데사나이인들
이 거의 비슷한 생명의 창조주
우주뱀을 수정판과 연관시킨다.

[그림 12-5] 신성한 수정석의 인도를 받는 뱀. 수정해골과 무관하지 않다.

그리스 신화의 제우스는 처음 뱀이었다가, 나중에 얘기가 바뀌져서 뱀
을 무찌르는데, 왕이 취임하는 뱀의 왕에서 보이는 쌍둥이 뱀의 그림은

[그림 12-6]

DNA 바로 그거다. [그림 12-6] 왕이
앉아있는 권좌가 바둑판이다.

호주의 암벽화다. [그림 12-7] 뱀
허리 밑에 있는 엎어진 U 는 토끼
귀와 바둑판이다. 사실은 유전자
제2 핵분열과 감수분열 단계다. [그
림 12-8] DNA 사다리, 외계인의 강
의였다면 지나친 비약이긴 하다.

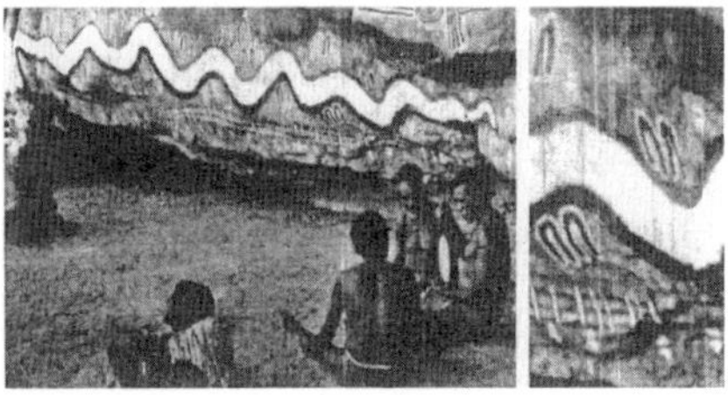

[그림 12-7]

제사장이 쓰는 비밀의 언어는 꼬
이고 꼬인 언어로 비유로 해석하였
지만, 외계지식인 첨단과학이 자
주 섞여 나왔으리라.

외국에 살다보면 모국어가 자신
모르게 튀어나온다. 나중에 그 반
대현상도 발생한다. 나어비는 음

[그림 12-8]

양어도를 2마리의 뱀이 서로 꼬리를 따르는 걸로 보았다.

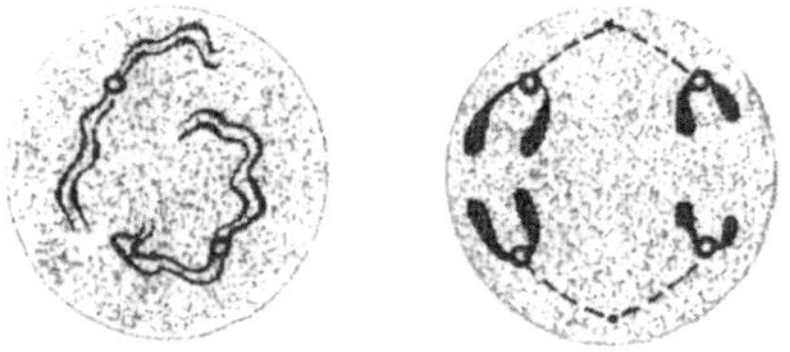

유전정보 게놈은 어떤 지점에서, 염색체로 알려진 23개의 밀집된 마디

를 형성한다. 유전자 코드의 모든 단어는 세 3자다. (8괘도 ─, -, - 세마디다) DNA가 네자(A, G, C, T) 알파벳을 가지기 때문에 유전자 코드는 4×4×4 = 64 단어를 갖는다. (64괘와 동일수다) T 티민과 C 시토신의 구조는 육방정계(六方晶系)다. A, 아데닌과 G, 구아닌은 오각형과 육각형이 붙어 있는 9원자 구조를 가진다.

그는 DNA와 우주뱀, 세계의 축(우주기둥), 자연정령의 언어(꼬인 언어) 사이의 연관성은 동일한 실재가 다른 시각에서 묘사된거라고 주장하였다. 바둑의 축이 바로 생명의 열쇠다. 입체바둑에선 더 확연하다. 축과 패의 연관성이 단편이 아니라 장편이라면 스토리가 달라진다. 삼국지보다 더 방대하지 않겠는가.

환각에서 보는 게, 자신이 행했던 경험보단 생각했던 경험이 우선할 수 있다. 잠재된 DNA로는 우리 선조가 걷기 시작하던 무렵 아프리카에서 수많은 화산이 터지고, 온통 붉고 노란 하늘에서 휘날리는 불꽃들, 그 하늘이 공포로 남아있다.

꿈을 꾼다. 도저히 설명이 안되는 꿈이 있다. (프로이드가 말하길, 꿈은 잠재의식의 과거 영상 표출이다) 그렇다고 그게 외계인이 흘린, 우리 반쪽인 그들의 세계를 보여주는건 아니다. 외계인의 DNA가 많은 부분을 차지하면서도, 섞인이의 잠재의식에 없다는 건, 그들의 첨단기술로 이미 차단되었다. 섞인이의 반격을 우려하여 위험 요소를 빼고, 지능과 이성만 높여줬다.

그런데 그들이 예측하지 못한 변수가 이성 범위에서 도출되었다. 육체의 강함을 떠나, 우리가 보다 나은 차원의 지혜를 얻었다. 그건 지구의 환경 역사가 다르기 때문에 성인들이 출현하였다. 우리는 신비를 풀면서도, 다른 의문을 시작으로 현명한 길을 찾아낸다.

외계인 바둑이다. 투명한 한 탁자에서 마주 앉아 버튼을 누르면 상틀 1개가 색깔을 달리하여 떠오르고, 다른 1개는 바로 탁자 밑으로 드러난다. (다색 입체상 '홀로그램') 인터넷으로도 가능하다. 모니터가 입체형으로 조절형이다.

[그림 12-9]

[그림 12-9] 네파르타리 무덤 내부는 입체바둑판을 앞에 두고, 영원을 그리는 이집트 십자가(열쇠처럼 생긴)를 들고 전원을 켜려는 모습이다. 스핑크스의 후미가 후대에 잇대어 진건 바둑판의 하틀을 의미한다.

버튼으로 계가가 끝난다. 옛날 바둑판에 돌 등을 담는 서랍이 달렸는데, 모양은 달라도 이치는 같다.

* 1979년 필자의 저서 "유리사슬"에서 보이지 않는 사슬에 의해 사람들이 움직인다고 하였다. 고대문헌에 나오는 일자론(一字論)과는 다른 일자론(一子論)도 언급하였다.

13 경

* 수는 우주의 언어다 *

피타고라스에선, 수는 기쁨을 준다는 것의 인식론이다. 인식이란 곧 소유를 말한다. 바둑에서의 개념도 소유다. 그러니 외계인의 다른 방향으로의 소유다.

바둑판에서 돌을 잡는 것, 바로 사람을 잡는 것을 뜻하기도 한다. 초기의 사람들 단순한 힘이라면, 1인을 4인으로 제압하고, 2인을 6인으로 제압한다. 지략을 알면 적은 사람으로 많은 사람을 잡는다. 가장 단순한 사람잡이 놀이다.

구석에 몰면, 1인을 2인이, 2인을 3인이, 3인을 3인이, 4인을 4인이, 5인을 4인이, 6인을 4인이, 9인을 6인이 잡는다. 45층이라면 405인을 270인이 잡는다. 의도는 공간을 보여주기 위해서 돌을 잡는다. 잡힌 돌을 들어내면 공간이 성립되어, 기초건축이 드러난다.

바둑판에서 가장 적은 돌로 살 수 있는 바둑알은 귀에서 6개, 변에서 8개, 중앙에서 10개다. 역경이 사회적 기초기준이라면, 6명 이상일 땐 사회성을 의미한다. 5명까진 한 울타리로 가능하다.

허수(imaginary numbers)와 허상(imaginary visions)은 늘 우리와 함께 한

다. 허수는 첫째 수를 변환의 개념으로 이해하고, 둘째 이 변환을 시각화한다. 콜리제는 '공상이란 실로 시공간으로부터 해방된 기억양식에 불과하다' 며 상상력과 구별하였다.

말로 피라밋 내부와 입체바둑판 위치를 파악할 수 있다. 동8 상9 또는 서7 하8로 그려낸다.

"다음 착점은 어디일까? 다음 행마는 어디일까?"

여기서 꼭 바둑 착점만 말한 게 아니다. 인간들 다음 행동을 어떻게 할 것인가. 역대신 바둑자체로 답을 얻는다. 허수와 허상을 결합하여, 정수와 정답을 찾는다. 바둑으로 현실을 잊는 게 아니라, 현실 문제의 해답을 찾는다.

허황된 얘기로 호도하지만, 위대한 업적을 남긴 드무아부르는 매일 어제보다 15분씩 더 자면서, (수면시간이 24시간 되는 날에 죽는다는 가정하에)

[그림 13-1]

자신이 죽는 날을 정확히 예견하였다. 코페르니쿠스는 지동설을 주장하면서, "나의 이론은 가정일 뿐" 이라고 했다.

산수 혹은 신비한 수의 비밀을 1665년 펴낸 키러허의 금언이 그림에 적혀 있다. [그림 13-1]

"만물은 비밀스런 매듭으로 서로 묶여 있다."

고대 바빌로니아인들은 10이란 단위 외에 60이란 더 높은 단위를 알았다. 그 60진법은 원의 각도나 시간, 분, 초의 단위로 남아있다. 동양에선 1갑이 60이다.

기원전 6세기에 태어난 피타고라스는 모든 창조물을 2개로 나눴다.

홀수 : 우측, 유한적, 남성적, 정지, 직선, 빛, 선

짝수 : 좌측, 무한적, 여성적, 유동, 곡선, 어둠, 악

"10은 가장 완전한 수다. 최초의 네 정수의 합이다."

$1 + 2 + 3 + 4 = 10$

등변삼각형으로 그려진다.

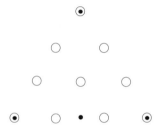

이 삼각형이 17로 바둑판에서 정확하게 나온다. 한돌은 천원에 놓고, 두돌은 2칸 밑으로 그리고 좌우로 2칸 가서 각각 놓고, 세돌은 천원에서 4칸째 한돌 그리고 좌우로 4칸째 각각 한돌씩, 네돌은 세돌 중앙돌에서 2칸 밑으로 그리고 좌우로 2칸째 하나씩 4칸째 하나씩 놓는다. 17로에선 9, 17의 성점이다. 변 성점은 3째줄이다. 그래서 4돌 2개는 성점 위에 놓인다.

플라톤과 피타고라스학파에서 파생된 수의 신비주의로, 수는 신성과 지상의 매개체가 된다. 신성이 외계인의 성품이 아니겠는가. 모든 문자는 숫자로 치환할 수 있다. 외계인의 문자도 숫자와 입체바둑판 공간이동으로 해독이 가능하다.

아우구스티누스는 "수는 세상에 드러낸 하느님 지혜의 형식이며, 인간정신에 의해 인식된다." 하였다.

음악은 곧 수의 원리와 같고, 3세기부터 천상의 음악을 알고있었다. 동양에선 역경으로 천상의 음악을 알았다.

계사전에서 말한 용마 즉 말등에 새겨진 그림을 하도의 리수라 하고, 거북등에 새겨진 그림을 낙서의 기수라 한다.

마방진이다. 중앙 5를 두고, 더하면 다 15가 나온다. 보름달이다.

$15 = 1 + 2 + 3 + 4 + 5 = 3 \times 5$ (신성한 수들)

4	9	2		〈불〉	6	1	8		〈흙〉	2	7	6
3	5	7			7	5	3			9	5	1
8	1	6			2	9	4			4	3	8

5는 인간의 영혼이다. 인간이 선과 악으로 이루어지듯, 5는 홀과 짝으로 이루어진 첫 번째 수다. 1은 수가 아니라, 수가 흘러나오는 뿌리다. 피라밋 꼭지점도 5개다. 3차 마방진 정 중앙에 있는, 가장 신성한 수다. 두 번째 완전수는 28이다.

23로에서 신성한 수를 합치면 28이다. 천체기준의 수도 28이다. 양 손 손가락 마디는 총 28개다.

1은 우주의 수며, 2는 지구의 문이며, 3부턴 세상이 열린다.

* $1 + 1 > 1 \times 1,\ 2 + 2 = 2 \times 2,\ 3 + 3 < 3 \times 3 \cdots$ *

3차 마방진은 하나다. 회전이나 대칭으로 더 만들뿐이다. 4차 마방진은 수의 합이 34이다. (34 = 17 + 17)

인도의 카주라호 사원 기둥에도 있다. 5차 마방진도 있고, 6차 마방진은 만들기 어렵다. 그 마방진 안에 작은 마방진도 있다.

23로 바둑판 안에 19로, 17로, 13로 바둑판이 나올 수 있듯이. [그림 13-2] 스위스 수학자 오일러 (1707~1783)는 8차 마방진을 886개 만들었다. 각 축의 합은 260, 반은 130이다. 정육각형과 정육면체(합은 18)의 마방진이 있고, 그외 신기한 마방진이 즐비하다. [그림 13-3] 합이 40이 되는 방법이 22개다. 가로로 4개, 세로로 4개, 대각선으로 2개 있다.

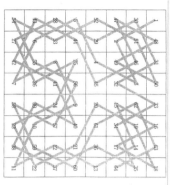

[그림 13-2]

서양인 전체가 바둑을 즐긴다면 인간의 발전은 또 한 번 혁명을 맞을 것이다.

아랍인들은 마방진이 특별한 힘을 담고있다고 믿었다. 주로 신을 가리키며, 코란에 나오는 비밀의 문자들을 나타냈다. 그래서 변칙적인 마방진을 만들었고, 문자와 숫

1	15	20	4
18	6	7	9
8	16	11	5
13	3	2	22

[그림 13-3]

자를 결합하는 카발라의 방법과 함께 예언에 이용되었다. (의미있는 수를 곱하거나 또는 특정한 수를 감하고 다시 그 수들을 합하여 나온 결과수로 점을 보았다. 역경과 유사하다) 마방진을 부적으로 몸에 지니고도 다닌다. 숫자에 의한 문자풀이법은 유대전통에서 각별한 사랑을 받았다.

인도의 수학자 세타가 만든 체스는 가로 세로 각 8칸씩 흑백이 번갈아 교차되는 64개의 격자부위의 판을 이용한다. 체스의 원형은 4천년전 인도에서 시작되었다. 이것이 한국과 일본의 장기로 발전되었다. 컴퓨터 수학적 구조가 2진법이라, 음양사상의 영향이다. 쉬바의 64

[그림 13-4]

가지 즐거움을 그린 타밀지방의 책도 있다.

복희와 여와의 그림이다. [그림 13-4] 여신은 컴퍼스를, 남신은 ㄱ자를 갖고있다. 2마리 뱀의 꼬리에는 흑돌이, 별들은 백돌로 그려져 있다. 피타고라스의 정리는 고대 인도와 중국의 문헌에도 나온다. 〈주비산경〉에는 "구고현의 정리"로 소개된다. [그림 13-5]

[그림 13-5]

〈구장산술〉에는 8로 바둑판 그림 한장으로 내용과 증명을 동시에 하였다. [그림 13-6]

3, 4, 5에서 $4 \times 3 \times \frac{1}{2} = 6$이다.

정사각형에서 대각선이 교차되는 점은 인간의 배꼽이라 곧 천원이다. [그림 13-7] 정사면체는 불, 정육면체는 흙, 정팔면체는 공기, 정십이면체는 우주, 정이십면체는 물로 보았듯이(플라톤 5 입체), 동양의 오행설이다.

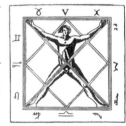

[그림 13-7]

[그림 13-6]

달은 타원형으로 지구를 돈다. 피라밋 속의 미로가 도둑을 막기 위한 것만은 아니다. 바둑의 묘미를 비유하여 가르친다.

상천원과 하천원을 기준으로 정팔면체에서 타원형을 만들면, 그 안에서 모든 감정을 겪을 수 있다. 이성에서 표출되는 감성은 일종의 해탈이다. 행성은 태양주위를 타원형으로 돈다.

정팔면체는 8 면, 12 변, 6 꼭지점이다. 합 26. 정육면체는 6 면, 12 변, 8

꼭지점이다. 합 26. 2와 6을 더하면 8이다. 8괘다.

이슬람교도들은 해마다 메카에 있는 카바 (정육면체) 성전으로 순례를 떠난다. 솔로몬 신전안의 성전도 정육면체다. 기원전 430년 아테네인들에게 델피의 신탁이 떨어졌다. 정육면체 모양인 아폴로 제단을 모양은 유지한 채 부피만 2배로 만들라는 거였다.

유일하게 풀 수 있는 길은 입체바둑판 상 정육면체를 하나 모양으로 보고, 하 정육면체의 바둑을 이끌어 올라오면, 2배 부피 기능을 다한다.

"어둠은 타원형으로 깊어지고, 밝음은 타원형으로 높아지니, 모든 진실과 진리도 그와 같으리라."

14 경

* 보이지 않는 세상이 보이기도 한다 *

"모든 증거를 조사해보면, 어떤 초자연적 행위자와 연관되어 있음에 틀림없다는 생각이 계속 든다." 천문학자 그린슈타인의 말이다.

UFO를 찾아보자.

카를로 크리벨리 1486년 작. 〈수태고지〉 [그림 14-1] 왼쪽 다리위 UFO에서 광선을 뿜는다. 오른쪽 공작새 꼬리를 보자.

성점 1, 4, 4로 9성이고, 그 밑으로 3, 4, 3, 2, 3, 2, 3, 3으로 23성점이다.

로기르 반 데르 베이텐 1460년 작. 〈성녀 골룸바의 제단화〉 [그림

[그림 14-1]

14-2] 왼쪽 문 뒤의 광채를 그밑에 있는 나무 가지의 사선으로 평행으로 내려가보자. 그러면 우측 남자가 들고있는 UFO 모형에 닿는

[그림 14-2]

다. 그것이 나무가지 경
사로 날으면 그 광채가
UFO의 추진력이다.

[그림 14-3]

미켈란젤로 〈천지장조
〉다. 누구나 잘 아는 그림
이다. [그림 14-3] 그림에
균열이 있지만, 멀리 떠있는 UFO는 의도적이다(동그라미 부분).

젊어서 교만하여 코뼈까지 부러진 그다. 자신의 그림을 그린다. 〈그리
스도 매장〉 성모의 신성한 옷을 그릴 파란색 안료 울트라마린이 아프카
니스탄에서 오길 기다리다 미완성으로 남은 작품이다. 특기할 사항은 요
한의 가슴이 여성같다.

울트라마린에 코발트가 들어있어서 완벽한 위작품이 드러나기도 하
였다. 〈천지창조〉 하느님 팔에 안겨있는 아이의 시선을 따라가자. 그의
시선은 하늘 중앙 UFO에 닿는다.

조그만 타원형이다. 그림 구도상
인물의 시선은 중요한 걸 대변한
다. 그 흔적이 그림작업대를 지탱
하던 고리였다 하더라도 말이다.

1474년 3월 6일 이른 새벽, 수
성이 목성의 집에 들어가있고, 금
성이 그 다음 위치에 가있는 길일
에 황실의 혈통인 카노사 백작가
문에 태어났다. [그림 14-4] 전경〈

[그림 14-4]

[그림 14-5]

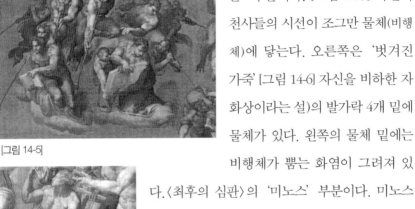

최후의 심판〉의 '나팔든 7 천사들' 부분이다. [그림 14-5] 바깥의 천사들의 시선이 조그만 물체(비행체)에 닿는다. 오른쪽은 '벗겨진 가죽'[그림 14-6] 자신을 비하한 자화상이라는 설)의 발가락 4개 밑에 물체가 있다. 왼쪽의 물체 밑에는 비행체가 뿜는 화염이 그려져 있다. 〈최후의 심판〉의 '미노스' 부분이다. 미노스의 긴 귀 방향이 앞으로 지나치게 구부려졌다. 그 방향으로 올라가면 예수의 그 부분에 닿는다. 미노스의 성기는 자신을 휘감은 뱀이 물고 있다. 조금 위라면 성모의 얼굴이다. 성모의 얼굴도 같은 방향이다. 섞인이를 암시한다. [그림 14-7]

[그림 14-7]

[그림 14-6]

　　의학서적에 보면 일본 사무라이가 성교를 하는 춘화가 나온다. 옷을 입었던, 벗었던 남자의 성기는 눕혀졌던 세워졌던 칼자루의 방향과 일치한다. 칼날은 틈을 가르는 여성을 뜻한다. [그림 14-8, 9, 10]

[그림 14-8]

[그림 14-9]

94

타치아노 1523년 작. 〈바쿠스와 아리아드네

〉[그림 14-11] 왼
쪽 울트라마린
푸른 하늘에 8개
의 UFO가 있다.
저런 형태의
UFO 사진이 있

[그림 14-10]

[그림 14-11]

다. 타치아노 〈
다나에〉[그림

14-12] 황금으로 변한 연인의 정령을 여인
이 애타게 갈구한다. 외계인과의 섞임이
아니겠는가. 그 섞임에 왜 환희가 따르지
않았겠는가. 그 누구도 경험하지 못한 환
희를 외계인의 능력으론 충분하다. 노파는
황금으로만 받으려든다.

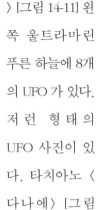

[그림 14-12]

잉글랜드 왕 헤럴드가 전사할
때 나타난 혜성으로 UFO다. [그
림 14-13] 컬럼버스가 미대륙 연
안 가까이 갔을 때 UFO를 목격

[그림 14-13]

한 기록이 많다. 커다란 광채가 바다와 하늘로 휘날렸다.
  예수의 심장은 오른쪽에 있었다. [그림 14-14] 조토 〈십자가의 예수〉
1325년 작. 내장역위증이란 희귀병이며 유전이다.

[그림 14-14]

라파엘로 〈성 모자상과 요셉〉, 야코포 벨리니 〈성모자상〉. 성모상 그림을 보면 아기예수를 자기 오른쪽 가슴에 안고있다. 아기는 태아때부터 들었기에, 어머니 심장 박동 소리를 들으면 안정감을 취한다. 외계인 중에 지구대장의 아이가 성모 마리아였다. 그 대장의 탁월한 유전인자를 흡수하다 생긴 인간이 겪는 병이다. 죽은 예수도 오른쪽 가슴에 안은 성모 마리아 그림이

[그림 14-15]

다. [그림14-15] 프라 바르들로메오〈피에타〉1516년 작.

조토 〈동방박사의 경배〉 [그림 14-17] 별똥별이 2개

[그림 14-16]

[그림 14-17]

다. 지붕 위에 하나, 언덕 위에 하나, 둘 중에 하나는 UFO를 의미한다. 로히르 반 데르 바이덴 〈그리스도를 십자가에서 내림〉 [그림 14-16] 창살에 숨어있는 상징물이다. 창살은 성스러운 세상과 인간세상의 경계다. 석궁모양으로, UFO를 탄다는 신호다.

안드레아 만테냐 〈성 세바티아노〉 [그림 14-18] 발가락 6개다. 왜 그렇게 그려서 뭘 말하는

[그림 14-17]

걸까. 그 옆에 부서진 발 조각품과 비교하라고 친절까지

[그림 14-19]

베풀었다. 화살과 시선이 하늘로 향한다.

다빈치의 모나리자다. [그림 14-19] 왼쪽 눈과 콧등 사이에 타원형이 있다. 낙하산, 비행체 등을 남긴 발명가이기도 하였다. 사람을 죽이는 놀라운 기계도 발명하였다. 세상 최고의 그림에 왜 조그만 타원형을 남겼을까. 가슴에 드리운 옷에 무수히 그려진 고리와 타원형 무늬와 연관만 지운 게 아니다.

영국에서 출토된 4세기 접시다. [그림 14-20] 대영박물관 소장. 위의 잔이 UFO로 보인다. 잔이 밑으로 내려오면 지팡이 밑으로 조그만 UFO를, UFO의 자리에 천사로 외계인을 암시한다.

[그림 14-20]

여인이 쥐었던 원반도.

[그림 14-21] 루블미술관 소장품. 모스크바 러시아. '최후

[그림 14-21]

의 만찬'에서, 얼굴이 든 UFO다.

피카소의 게르니카다. [그림 14-22] 전구가 든 타원형 발광체! UFO다.

고흐의 별이 빛나는 밤이다. [그림 14-23] 스스로 귀를 잘라서 정신병원

[그림 14-22]

[그림 14-23]

에 입원하였지만 미친건 아니다. 별그림으로 보는 건 세상사람의 몫이나, 그건 우주의 흐름, 하늘의 기다. 별보단 차라리 UFO다. '카페의 밤풍경' 하늘의 별들도, '밤의 카페'의 3개 큰 전구도 UFO로 보인다. 그는 고갱을 외계인으로 보았다.

고흐가 입원한 셍 폴 요양소 이름이 폴 고갱의 이름과 같다. 시인인 타미지에 신부가 고흐에게 보낸 편지다.

[그림 14-24]

"셍 폴로부터 최대한 빨리 벗어나시게. 거기에서는 짓눌리는 느낌이 드나니, 마치 성수가 고인의 관 위에 떨어지는 것처럼."

'요양소의 환자' 그림에는 환자의 이마에서 두 뿔이 솟아나는듯 하다.

모네의 그림도 훌륭하다. 빛의 분활. 그런데 빛의 환원으로의 과정이 누락되어 아쉽다. 달리는 가장 외계인적 발상의 소유자다. [그림 14-24] 1958년 작 시스티나 마돈나. 회색 한 색으로, 작은 점으로 구성된 추상화이나, 2미터 떨어져서 보면 교황의 귀에 마돈나가 들어 있다.

"흰 색은 모든 색이다."

색은 빛의 반사다. 흰색은 스스로를 감추고 모든 색을 꿈꾼다. 그리스와 한국의 흰색 선호도 성스러움과 순수함 그런 이유다. 검정은 힘이다. 스스로의 깊음으로 모든 색을 감춘다. 바둑도 검은 점, 검은 선, 검은 돌로 자리를 가지며, 신비를 부른다. 하얀 돌은 새 생명을 꿈꾼다.

15 경

* 모든 놀이의 기원은 바둑이다 *

"어쩌면 순장바둑이 모든 바둑의 원형인지 모른다."

안영이가 피력하였다. 당에 가서 바둑을 둔 신라인 박구는 적수가 없음을 한탄하였다. 그 당시 그는 최고 수였다.

박우석은 바둑을 통합 인지과학이라, 문용직은 우주적 질서의 투사(投射)라 한다.

최고(最古)인 17로 돌바둑판에 하나있는 문양이 4, 4에 놓였는데, 화점으로 보지만, 그건 성점이 아니라 외계인이 전하는 우주적 메시지다. 수메르 그림에도 있다. [그림 15-1] 천원에 4성이 담긴다는, 미래지향적 바둑이란 함축적 문양이다.

[그림 15-1]

가장자리에 선이 없이, 바로 공간으로 절벽이다. 그건 대국용이기보단 제례용과 천문학용 도구로 사용되었다는 말을 대신한다. 대국한다면 1선의 바둑돌들이 다 떨어져, 대국을 이어갈 수가 없다.

중국 수나라 594년, 발견된 백자바둑판과 청자바둑판은 19로다. 역시 바깥선이 없다. 다음에 나올 23로 바둑판을 예지한다. 위구르에서 발견된 당나라 목제바둑판도 역시 같았다.

사전배석제, 중국에선 4개의 돌로 우주적 질서를 반영한다면, 한국에선 16개의 돌로 사회적 질서를 대변한다. 두 대국자가 대국하기 전 미리 놓은 바둑돌은 보다 하늘로 향하라는 배려다. 그걸 인정하면 순장바둑이 시초(원류)에 가깝다.

17로 바둑판 화점은 16과 천원이라 그걸 대칭적으로 표시하기 위해선 3째줄 밖에 없다. 인도 시킴의 17로 바둑판도 역시 3, 3에 성점이 있다. 변에서 세째줄에 대칭으로 찍혀 있다.

서유기는 서역을 여행하는 기록인데, 손오공을 모르면 동양인이 아니다. 삼장법사 삼장(三藏)은 경, 율, 론을 통달한 승려다. 손오공(悟空)은 없음을 깨닫다. 저팔계(八戒)는 8가지를 삼가하다. 사오정(悟淨)은 맑은 마음을 깨닫다. 이름이 그러하다.

입체바둑판에서 변신술의 귀재인 손오공의 활약을 지켜보는 삼장법사는 대국자 옆의 검토자가 아니겠는가.

〈중론〉을 요약할 수 있는 게송을 보면 8가지 부정이 나온다.

"생기지 않고, 없어지지 않고, 늘 있지 않고, 끊어지지 않고, 같지 않고, 틀리지 않고, 오지 않고, 가지 않고."

그걸 바둑판에 대입시켜 봐라. 스스로 부정하면, 스스로 얻는다. 바둑에서 첫 수를 놓기 전에 텅 빈 공간인 바둑판 앞에서 장고하는 게, 마음가짐의 다스리기도 있겠으나, 폭풍 회오리의 바람 한 가닥을 먼저 맞는 것이기도 하다.

"착점하지도 않고 착점하였고(바둑 수읽기), 착점하고도 착점하지 않았다.(숨은 뜻)"

놓인 돌에서 숨은 뜻을 찾는 게, 비단 천문학 뿐만 아니라, 고차원적 비전을 얻는 것이다. 쉽게 부언하면 영생인 장생이다.

부처의 진리도 입체바둑판에서 나온다.

"공의 이치는 일체 세속적인 존재를 파괴한다."

두기도 전에 두었다. 외계인은 나타나기 전에 이미 나타났다. 바로 외계인의 가르침은 기다림과 참음이다.

"빈 바둑판이기에 모든 게 존재한다. 빈 바둑판이 아니면 얻을 게 없다."

여기에도 끄달리지 않는 맑은 마음이 제일 덕목이다. 그래서 서유기의 숨은 주인공은 사오정이다.

미국 한 TV 방송국 대담에서 발췌하였다.

"중력은 시간과 공간을 휘게 합니다. 자체적으로 강력한 중력장을 만드는 우주선이라면, 엄청난 거리를 이동하여도 시간은 별로 걸리지 않습니다."

중력을 역이용하면 피라밋 쌓기는 식은 죽 먹기다.

영국인 폴 브런튼은 사라진 아틀란티스의 중앙에는, 꼭대기에 태양신전이 있는 거대한 피라밋이 세워져 있고, 그 아틀란티스인들이 이집트로 이주하였다고 주장하였다.

피라밋 에너지는 밑변에서 꼭지점을 향해 1/3지점에서 가장 강력하게 발현한다. 피라밋 내부의 중앙지점이다. 천원이 에너지 중심을 나타낸다면, 바로 입체바둑판을 웅변한다. 피라밋 꼭지는 코스믹 파워(Cosmic power)우주력의 집적장치며, 정점 에너지가 모인다.

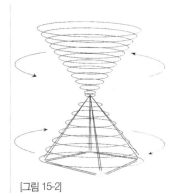

[그림 15-2]

보텍스 형태의 에너지 소용돌이는 입체바둑판 자체로서의 무궁한 에너지 재생을 보여준다. [그림 15-2] 중력장과 부양술이 입체 바둑판에 담겨있는 설명을 암시한다. 미국인 딘 하디는, 피라밋이란 "한가운데 모이는 빛"을 의미한다 하였다.

대 피라밋의 석회석 돌덩어리가 230만 톤이라, 프랑스 전체를 폭 30cm, 높이 3m의 성곽으로 둘러 쌓을 수 있다는 나폴레옹의 계산이다.

'왕의 방'의 남쪽 갱도는 오리온성좌의 3성

[그림 15-3]

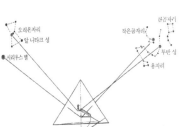

벨트를 가리키고, 여왕의 방 갱도는 아시스 여신의 별인 시리우스를 가리킨다. [그림 15-3] 도곤족은 '흰 난쟁이'로 불리는 시리우스 B(육안으론 보이지 않는)에 대해서도 놀라운 지식을 갖고 있었다.

판테온(만신) 9 신으로 구성된 헬리오폴리스는 나라의 종교적 심장부였다. 그 위에 얹은 벤벤은 인간의 정액, 사정 또는 자궁의 씨를 의미한다. [그림 15-4]

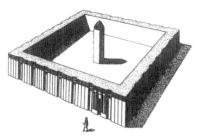

[그림 15-4]

기존 피라밋이 있는데도 계속 건설한 건, 비행장에 여러 활주로가 있는 이치다. 선조인 외계인과의 확실한 접선을 위해 그들이 보여준 광선 바둑판(우주선을 다녀간 제사장의 구전)을 다각도로 연구하며, 그들이 외계인을 부르는 수단을 찾기 위해서였다. 피라밋 건설에 외계인이 직접 참여하여 독려도 하였다. 인간만의 힘으로 했다면, 이집트라는 나라는 지금 지도상에 없을 것이다. 그렇게 국력을 소비해선 망해도 몇번이나 망했다.

이집트인이 점성에 열정적이었던 건 외계인의 선봉에 이끌렸기 때문이다. 두 자칼의 신이 있다. 첫째 신은 죽은이의 심장을 저울로 다는 바누비스, 둘째는 길을 여는 이로 우프아우트다. 심장을 다는 저울이란 곧 마음을 담는, 정신을 담는, 고차원의 지식을 담는 것이고 둘째는 그 영혼을 여는 것이다.

[그림 15-5]

영국박물관 소장품 그림에는, 세 신이 비행체를 타고 있고, 그 밑에 타원형 17 성점이 있다. [그림 15-5] 우주를 논하는가. 바둑원리를 논하는가.

싯달타의 무아라는 각성은 인류정신사에서 최고 봉이란 사람도 있다. 나와 우주가 하나이며, 다음으론 무아다. 외계인과 섞인이가 하나이며, 외계인은 없듯이 있다. 무아지경… 황홀한 기쁨이다. 바둑 반상에선 조용한 참선의 경지

[그림 15-6]

다. 미륵을 기다리는.

부채를 펼쳐든 인도의 사원 조각품을 보자. 부채를 모으면 하나의 우주기둥이 되고, 펼쳐 흩으면 9성이 된다. 그녀의 머리 위에 9 기둥이 있다. [그림 15-6] 바둑둘 때 고수들이 흔드는 부채는 바람만 부르는 게 아니다. 대국 전 자신을 무아의 경지로 이끌려고 노력한다. 그러면 일체의 욕심에서 벗어나 정도를 걷고, 지식탐구도 그와 같

[그림 15-7]

고, 자유로이 수행할 수 있다.

수평선이나 지평선으로 떠오를 때나 가라앉을 때의 보름달은 한 싯점에 반달이 된다. 그와 같이 반해도 있다. 일출의 반해와 빛무리는 펼친 부채다. 2개의 부채면 한 해도 되고, 한 바퀴가 된다. 아일랜드 노스 유적의 돌 표면에 천원궁에서 19로 부채꼴이다. [그림 15-7] 바람을 일으켜 더위를 식히는 부채를, 그 더위의 원천에서 얻었다. 천원에서 다 얻지만, 천원에서 다 잃을 수도 있다는 경고적 메시지다.

16 경

"진리는 스스로를 드러내지만, 불확실성 속에 잠겨있다."

'광학의 아버지' 라 불리는 10세기 이라크 알하젠이 한 말이다.

어릴 때 여름방학 숙제로 곤충채집이 있었다. 그와 유사하게 외계인이 지구생물을 채집한다. 우린 어려서 닥치는 대로 채집하였지만, 그들은 고등생물이라 그들의 기본소양에 맞게 그들의 기본철학을 지킨다. 생명은 고귀하다는 걸 그 어느 별보다 더 잘 안다. 그들의 목마름은 우리보다 더하였다. 그들의 별이 위기에 처한 게 아니라, 그만큼 그들은 외계로의 시선을 돌리는 데 시간이 풍부하였기 때문이다.

시공간이 비틀려 비행사나 선장이 위치를 모르는 등 혼란을 겪는 버뮤다 삼각지처럼 일본 동남쪽에 일본삼각지가 있다. 태평양에 고립된 이스터 섬 동쪽으론 2,300마일에 칠레가 있고, 서쪽으론 1,200마일에 피트카이르 섬이 있다.

모든 석상의 머리에 긴 귀가 달렸다. 이스터 섬에는 두 종족이 거주하였는데, "긴 귀"와 "짧은 귀" 족이었다. 긴 귀가 석상을 만들고, 짧은 귀는 노예였다.

훗날 한 방문객이 묻자, 한 원주민이 말하였다.

“ 저 석상이 어떻게 바닷가로 갔지요?”

“ 걸어갔지요.”

제사장은 의사였고, 천문학자였고, 예언가였다. 그 모든 것이 외계인의 초기 정보전달이었다. 선교사들이 원시문화에 가서 먼저 봉사하여 신임을 얻으면 그들의 목적을 이루고자 한다. 외계인도 놀라운 기술로 섞인이의 마음을 얻고는 바둑으로 그들의 세계를 전하였다. 그들의 성경이었다. 사실 그 안에서 역경, 성경이 나왔지만 말이다.

일반 개인의 초능력은 거의 마술에 지나지 않지만, 가끔은 외계인 인자의 흘림을 이어받아 우연히 발현된다. 목격된 UFO에서 99%는 가짜이거나 설명되지 않는 우연의 산물이다. 1%가 중요하다. 초감각적인 지각 ESP(extra sensory perception)가 외계인 인자 중의 하나다. 섞인이에 따라선 많이 노출되기도 한다.

여러 신화에 자주 등장하는 굉음, 우주선의 소리다. 전자의 시간은 역으로도 흐른다. 우리 내부의 전자소립자는 초당 10^{23}번 진동한다. 첫 완전한 수에서 23제곱이다.

기술적으로 발달한 문명에서 원시적인 문명으로 와서 잠시 살다가는 방문객을 신으로 간주하고 화물(貨物)숭배를 한다. 토착민들은 정성을 다해 제물을 바치고 숭배하면 신들이 다시 돌아올거란 믿음이 퍼진다. 그 행동이 피라밋 건축이다.

잉카시대 이전에, 알 수 없는 존재에 의해 하룻밤 사이에 지어진 거대한 돌 구조물인 티와나쿠가 볼리비아에 있다. 그 서남쪽 푸마푼쿠에도 현대도구 아니고는 그토록 정교하게 만들수 없는 고대 석판이 있다.

[그림 16-1] 서랍장 모습에서 8괘가 보인다. [그림 16-2] 바둑알을 만든

다. [그림 16-3] 가슴에 양손으로 쥐고있는 건 컴퓨터 CD , 허벅지는 바둑판으로 감

[그림 16-1]

싸고 있다. 그 뒷면은 뱀, 독수리 등 1천 개 이상의 조그만 조각들이 모두 완벽한 대칭을 이룬다. 단 0.1mm의 오차도 없다.

[그림 16-2]

[그림 16-3]

[그림 16-4] 수메르의 원통인장에 나타난 이종교배 생명체는 실제 상황이 아니라, 외계인이 떠나고 난 뒤 섞인이의 당황했던 연구과제에 불과하다. 당연하지 않겠는가. 외계인과 지구인에게서 섞인이가 나왔으니, 왜 지구동물끼리 섞인 동

[그림 16-4]

물이 안나오겠느냐며. 이집트 무덤에서 수 천 마리의 고양이 등 동물 미이라가 나온 게 그들의 의학실습을 보여준다.

[그림 16-5]

그렇더라도 남미 에콰도르 지하동굴에 금속도서관만이 아니라 이종교배 생명체가 있었다는건 신빙성이 부족하다.

[그림 16-5] 사람과 뱀, 사람은 점을 치고, 뱀의 허리에 나열된 돌들은

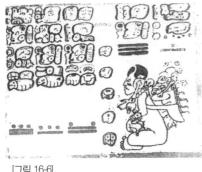
[그림 16-6]

역경의 각 점을 나타내는건 아닐까. [그림 16-6] 수를 보는 게, 바둑판의 수를 읽고있는 듯 하다. 숫자도 바둑판으로 보이기도 하고, 8괘로도 보인다.

천문학자 로버트 헨셀링은, "마야인의 고도한 천문학은 누구의 도움이 없었다면 해명불가" 라 하였다.

외계인들은 입체바둑을 두면서 즐기기도 하며, 블랙홀과 화이트홀의 비밀을 풀어서, 그들이 바라는 어디든지의 순간이동과 언제든지의 시간이동을 만들고자 하였다. 웜홀이용이다. 블랙홀은 일방통행이고, 웜홀은 쌍방통행이다.

블랙홀은 밀도가 커서 빛조차 빠져나오지 못한다. 화이트홀은 보이지 않는 평행우주로의 블랙홀이다. 평행우주(우리와 똑같은 다른 우주, 우리 이대로와 세상 이대로의 우주가 가까이)로의 왕래는 웜홀같은 뱀홀(게홀)로 가능하다.

우르르 백돌이 쏟아져 나가야 되는데, 반대로 흑돌이 우르르 쏟아져 나오는 상황이 연출되어, 에너지 흐름을 비틀지 않고도 뛰어 넘을 수 있다면, 모든 게 가능하단 결론이었다. 쉽게 말하면, 지구의 물을 금방 달로 움직이는 거다.

입체 바둑의 모든 돌을 별로 생각하여, (연기) 서로 모양을 이룰 때의 유기적 에너지 파장을 분석한다. 바둑돌의 조합으로 작은 말, 큰 말로 불리듯이, 입체에서도 작은 성단, 큰 성단으로 나뉜다. 그래서 그들의 에너지 흐름을 분석한다.

지구 주위 행성들의 섭동으로 지구공전 궤도의 모양을 결정하는 이심률이 10만년 주기로 변화한다. 외계인은 바둑에서 그걸 읽는다.

요즘 바둑돌이 UFO와 흡사하다. 원형이지만 타원형으로 보인다. 목격자의 진술로는 순간 가속, 순간 정지와 직각 회전의 비행이었다. 초차원 외계인의 기술로는 별거 아니다. 계란같은 난형의 자유분활과 재구성으로 UFO의 단순 변신을 짐작하지만, 차광막 등 특수 변신은 거의 무한하다. 이제까지의 단순한 사진에 의존하지 말자. 보다 체계적인 진전만이 UFO를 맞이할 수 있다. 2차원 개미가 3차원 인간을 이해하기 힘들 듯, 우린 보다 생각 높은 개미가 되어야 한다.

알에서 태어난 여러 나라의 시조들, 다 외계인에게 바로 섞인이다. UFO는 알처럼 보였다. 그 당시는 지구인들에게 외경심을 심어주려고, 그렇게 떠남을 보여주었다. 노아도 외계인의 아들이다. 멀리서 돌아온 아버지가 빛나는 눈과 흰 고수머리와 피부색이 전연 다른 아들을 보았다. 몸은 눈같이 희고, 장미같이 붉었다. 그의 가족이 모여 있었다.

노아의 할아버지가 아버지에게 말하였다.

"예언자이신 너 할아버지가 지시를 내리셨다. 하늘의 아들이니 받아들여라!"

이미 노아의 어머니는 제사장에게 맹세를 하였다. 그 누구와도 관계없음을.

이집트 태양신은 '아득히 멀리 있는 분'이다. 메소포타미아에서 홍수신화의 주인공 지우수드라 또는 아트라하시스에서의 수드라는 '아득히 먼'을 뜻한다. 노아의 또 다른 이름 -아트라하시스- 뒤에는 대게 '루크'라는 수식어가 붙는데, 이것도 역시 '아득히 먼'이란 뜻을 가진 아카드

어다.

양성적인 태양신 아톰-레(라)의 창조신화다.

"나는 혼자 힘으로 존재하기 시작한 위대한 신이다."

'영원한 지평선'은 파라오의 마지막 안식처다. 피라밋은 왕의 무덤이다. 서로 배치되지만 같은 길이다. 영원한 지평선은 후손들이고, 피라밋은 선조들 외계인이다. 영원을 믿게끔 돌아온다고 약속했다. 그 재생의 만남이 피라밋에서 실현된다는 믿음이었다. 그래서 피라밋 건설은 이어졌고, 그들의 귀환을 기원하였다.

저 아득히 먼 별, 우리의 고향을 바라보며.

제3부

외계인과 역사

17 경

* 길을 노래한다 *

[그림 17-1]

[그림 17-2]

중세의 아랍학자 알 자히즈는 〈동물의 책〉을 썼다. 자연선택과 먹이사슬 등 후대의 생물학 이론을 예견하였다.

죽음과 부활의 순환에 없어서는 안 될 중요한 고리인 "길'꽃섬" 여행은 위대한 조상 '멀리 있는 분'을 만난다. 아홉 신이 저승의 배를 타고 여행하는데, 배 앞부분에 선분병풍이 있다. 그 병풍을 4등분해서, 옆으로 겹치면 상하바둑판이 된다.[그림 17-1]

수메르 원통인장.[그림 17-2] 새로나온 UFO를 설명하는 모습이다. 외계동물도 보인다.

메소포타미아인들이 생각한 파라다이스.[그림 17-3] 뒷편에 바둑돌로 쌓은 10개 산들이 보인다. 나무가지 22개와 고위신 머리위를 한 가지로 보태면 23점이다.

이집트 제1왕조 아비도스 왕 명부의 첫부분

이다. [그림 17-4] UFO 가 내려와서 바둑판을

보여주는 느낌이다.

골퍼의 배로 묘사된 [그림 17-5] 은 골프가방

[그림 17-3]

은 우주착륙선, 골프채 머리는 착륙선

다 리 로 보

인 다.

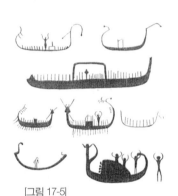

바 둑 이

조 화 라 면,

[그림 17-4]

입체바둑에선 조화의 힘이다.

평면바둑에서 천문학을 공부하며, 입체바

[그림 17-5]

둑에서 물리학을 공부한

다. 외계인이 바둑을 두면

서 '백이 90수째 수를 두는데, 이미 흑이 한참 전에 45

수째 둔 수 전으로 가서, 그 자리에 둘 수 있는가' 라는

실험으로 시간을 거꾸로 돌리기에 따르는 제반사항을

연구한다. 그것이 상틀에서 하틀을 덧붙인 연유며, 자

체로도 더 즐거운 게임이 되었다.

성 아우구스티누스가 입체바둑을 설명하는 건 아니

지만, 그렇다 하더라도 이상하게 보이진 않는다. [그림

17-6] 입체바둑 어떤 국면에서 한 착점이 놓여질 때의

주위 바둑돌이 곧 별들이다. 차후 변화를 읽어내면서

[그림 17-6]

중력관계도 계산된다. 그게 UFO의 비행원리에 기초한 비행기술이다. 그는 머리가 없고 가슴에 눈이 달린 동물을 보았다.

공간을 휘게 하려면 시간이 필요하기에, 시간은 형태를 가지는데 그 방향이 우측이든 좌측이든 일정하게 된다. UFO가 왼쪽으로 돌든 오른쪽으로 돌든 그건 별 의미가 없다. 차가 전진도 하고 후진도 하는데, 후진한다고 시간이 거꾸로 가는 건 아니다. UFO는 돌지 않고도 비행한다. 스파이더 맨이 거미줄을 이용하듯, 중력을 이용한다. 인터넷 3W 가 world wide web이듯이 UFO는 spider in space다. 은하는 타원형이거나 나선형이다. 은하들은 우주 공간에 거의 균일하게 분포되어 있다.

바이올린에는 4 끈이 있다. 그 끈의 각 진동에 따라 각 음이 발생한다. 파장이 짧으면 질량이 커진다. 우리가 경험할 수 있는 4차원을 뺀 나머지 6차원이나 7차원은 워낙 작은 크기로 말려 있어, 우리가 알아차릴 수 없다. 곧 입체바둑이 평면바둑에 숨은 꼴이다. 거기서 10차원과 11차원을 추리하면, 외계인과 동일한 고차원이다. 초차원으로 가는 전단계라 외계인과 동등한 입장에서 서로 도울 수 있다. 기타는 6 줄이다.

우주의 끈 이론은 우주의 기본 구성요소가 무한히 작은 수학적 '끈' 으로 이루어진 '고리' 다. 10차원 우주에선, 공간의 3차원(길이, 폭, 높이)은 그 각각이 3차원으로 말려있으면서 1차원처럼 나타난다.

허수와 같은 개념인 허시간을 설명하는 스티븐 호킹의 저서에 있는 그림이다. [그림 17-7] 지구 (닫힌, 바둑돌) , 사각판 (바둑판 문양) , 말안장 (무한 발산, 바둑 대마) 이 우연으로 겹쳐져 있다.

검은 구멍에는 털이 없다, 는 블랙홀의 정리에는 물리학자이면서 바둑 고수가 바둑으로 설명하면 이해가 쉬울 것이다.

버나드 올리버는 문명체들이
만나는 조용한 전파주파수를
물의 구멍이라 하였다. 그리스
고대 철학자 탈레스는 세상이
물에서 출발했다고 한다. 언젠

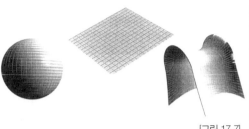

[그림 17-7]

가 물의 구멍에서 외계인이 공식적으로 나타난다. [그림 17-8] 425배 확대
한 잎의 기공. UFO같다. 사람이 소우
주이듯, 바로 잎 하나에서 외계인의
출현을 예고하는 지구의 숙명이다. 지
구가 생겨난 이유를 증명함이다. 그
작은 구멍을 통해 물이 증발하니, 곧
물의 구멍이다.

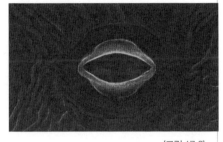

[그림 17-8]

처음 외계인이 지구에 도착해서 인류와 섞기로 한 건, 지구인들이 불
을 이용하여 조각상을 굽는 것을 알았기 때문이다. 미심쩍었지만 조그만
희망을 걸었는데, 결과는 대박이었다.

기원전 6000년 부터 바퀴를 만들어 오늘에 이르렀다. 인류의 문명은
한 마디로 바퀴의 역사로 요약할 수 있다. 그 바퀴의 시원이 바둑알이다.
기원 전 3000년 중국에서 침술이 놓여졌다. 그 전에 외계인이 인체에 대
한 의학보고서가 마무리 되어, 그들의 별로 보내졌다.

기원전 2700년 메소포타미아에서 주판으로 계산을 하였다. 바둑알을
막대기에 끼워 수계산으로 사용하였다. 그들은 후에 바둑알을 싼 바둑판
으로, 아이디어를 얻어 지도를 만들었다.

고대 제사장이 별을 관찰하고 점을 친건 형식이었고, 실제는 바둑판에

서 생각을 정리하였다. 그 뒤의 제사장 추종자들은 권력의 핵심과 상당히 동떨어진, 오히려 소외받는 계층에서 제사장 흉내만 낼 뿐 실제의 제사장과는 무관하다. 단지 점성술 등을 이용만 하는 독립된 개체라, 중세시대선 마녀로 화형에 처해졌다.

현대에서도 그와 비슷한 부류가 많다. 그들의 개인적인 부를 어리숙한 사람에게서 착취하고자. 그게 가능한 게, 인류자체론 너무나 약한 존재이기 때문이다. 외계인의 유전인자가 아주 미미하게 섞인이다. 오지엔 건전한 점성술사나 주술사 등이 있다. 그들은 자신의 이익을 추구하는 게 아니라, 집단의 안녕을 위한 일이라 자부심을 가질수록 더 좋은 경우다. 인자의 흔들림도 있었다. 그 중에 하나가 지구내부를 탐험한 그들의 기록이다. 실제 탐험에선 지구내부에 어떤 다른 지하인간도 없었다. 그

[그림 17-9]

런데 탐험전 두려움만 와전되었다. 모호한 신비로의 긴장이 엉뚱한 곳으로 발전되었다. 상상도 아닌 공상에 떠는 게, 얼마나 안스럽나. 하늘이 무너질까 두려워하는 건 수많은 동물 중에 사람밖에 없다. 1억 년 세월이 하루로 줄여드는 것 보다도 더 불가능한 얘기를. 외계인이 지구인에게 건네준 첫째 선물은 씨 유전인자였고, 둘째 선물은 바퀴였다. 씨앗(보리, 콩 등)과 거울(렌즈)은 덤이었다. 1712년 영국 토마스 뉴커먼의 최초 동력기관으로 산업혁명에 불을 지폈다. 그것도 바퀴의 연장선인 2개 원기둥의 왕복운동이다. 남녀 성교합처럼. 기원전 400년 경 바쿠스 질그릇. [그림 17-9]의 증기기계와 흡사하다.

18 경

"현들의 노래 속에는 기하학이 있다."

피타고라스의 말이다.

에너지 극대점은 대칭점 중앙에 있다. [그림 18-1]

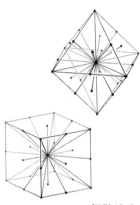

[그림 18-1]

물리학에서 입체를 보여주기 위해 바둑판 무늬를 자주 사용한다. 최초 돌바둑판 17로에는 선분이 없다. 그것이 물리학마저 아우르는 증거가 아닐까. 물리학자, 그들이 바둑을 안다면 더 진보할 것이다. 머지않아 '물리학과 바둑' '수학과 바둑' 등의 책이 나올 것이다.

우주 기원을 설명하면서 17개 입자로 '표준 모형'이 된다. 더러는 19 입자로 분류하고, 빅 뱅 시 드러났다 사라진 힉스는 '신의 입자'로 부른다. 외계인은 이미 입체바둑에서 그 존재를 증명하였다. 디자인 타일링 기초방법으로 회전, 반사, 평행이동이 있다. 세 가지 정규 타일링을 세 가지 방법으로 변환하면 17개의 형태를 만든다. [그림 18-2] 정규 타일링과 비정규 타일링, 비정규는 8가지만 만들어진다.

바둑판이 파도로 변신한 듯, 바둑판 무늬를 접어서 보강간섭과 상쇄간섭을 보여준다. [그림 18-3] 입체바둑에선 다음 착점에 따라 영향을 미친

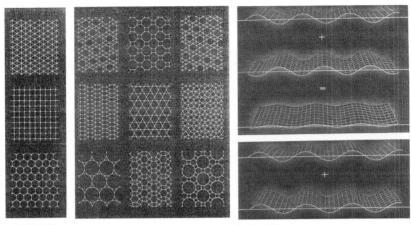

[그림 18-2]   [그림 18-3]

다. 기존 착점들이 전체 배석에 따라 상쇄간섭이 될지, 보강간섭이 될지 파악된다. 그러면 파장을 바꾸려고, 다른 착점을 찾는 행위가 간섭의 간섭이 된다.

리차드 파인만, 경로들의 합산하기다. 직선에서 가까운 경로는 서로 강화되고, 직선에서 떨어진 경로는 서로 약화된다. 이런게 다 틈 실험에서 나왔다. 외계인은 이걸 보지로 보아서, 바둑에서처럼 서로의 기쁨을 극대화하는 데 활용한다.

외계인의 성교 시간은 뱀처럼 길다. 대신 체위 변화나 신체 활동은 별로 없다. 결합한 상태에서 최고의 기쁨을 유지한 채 명상에 젖는다. 가장 사랑스런 사랑이다. 그들 식사는 하루 1번 소식이다.

아프리카 보숑고족은, 태초에 어둠과 물의 신 붐바만 있었다. 어느 날 붐바는 복통을 앓으면서 태양을 토해냈다. (빅뱅 인플레이션 기간에 지름 1cm 동전이 갑자기 우리 은하계 보다 1,000만배 커지는 거였다)

그 태양이 물을 말려서 땅이 드러났다. 붐바는 계속 토해내며 달, 별과 동물들이 나타나고, 마지막으로 인간이 나타났다.

작금의 파푸아 뉴기니 원주민은 남자의 생식기에 고깔(빠떼까)을 덮어 위로 올린다. 그들은 즐거울 때나 축제시 그것을 두드려 음악을 만들며 노래를 부른다.

제사장이 바둑알을 넣은 바둑판 가죽이나 껍질을 옮길 때 나는 소리에 귀를 기울였다. 그 결과 북, 피리 그리고 심벌즈와 흔들어서 소리내는 구슬통같은 여러 악기를 만들었다. 그것이 통신을 위한 수단으로 음향신호로 사용되기도 하였다.

제사장은 요즘으로 보면 연출자였다. 제례를 올릴 때 흥을 돋구어야 모두 한마음으로 동화되었다. 처음에는 단순히 내지르는 목소리로 분위기를 연출하였지만 점점 박자를 개발하였다. 들썩이다 상체의 움직임이 커져서 일어서고, 걷다가 뛰어오르다가 하며 군무의 시작이 넓혀졌다. 집단의식에서 동질성을 얻어 보다 더 결속이 다져졌다.

그걸 발견한 외계인은 주위에서 찾을 수 있는 생활도구를 건네주었다. 그러다보니 자연스레 도구의 합성품으로 악기가 만들어졌다. 퉁기기만 하던 줄을 두드리기만 하던 나무 막대기에 고정한다든지, 구멍난 막대기나 속이 텅빈 막대기에서 구멍의 효율을 깨닫곤 보다 더 구멍을 넓히든지 좁혀서 만들었다.

중국 음악은 5천 년 전부터 5음 음계로 오늘에 이른다. 이집트 등의 고대 그림에도 많은 악기가 그려져 있다. 후세의 음악에 많이 기여한 그리스 음악이론은 피타고라스의 비율이라는 음향학적 수학에 기반을 두었다. 현의 길이와 소리의 화성적 조화 사이에 성립된 숫적인 관계를 발견하였다. 길이가 짧을수록 높은 음을 낸다는 건 그전에도 사람들이 익히

[그림 18-4]

[그림 18-5]

알고 사용하였다. 아르키메데스(기원전 2세기경)도 지렛대를 처음 만든 사람은 아니지만 이론적으로 설명한 사람이다. 피타고라스가 수의 질서와 소리의 진동수 사이의 관계를 밝히는 실험을 하였다. [그림 18-4]

아낙사고라스(기원전 6세기)는 인류의 갓난 아기는 무력하게 태어나므로, 세상에선 살아남지 못하므로, 다른 동물로부터 진화했을거라 추론하였다. 그건 더 앞선 외계인의 선발대가 있었다는 가정이다.

이집트 그림에 아시아인을 묘사할 땐 늘 부메랑을 함께 그린다. 부메랑은 호주 원주민만 깎아서 사용하여 돌아오게 하였다. 호주는 4만 년 동안 고립되어 있었기에, 외계인의 간섭이었다. 부메랑은 '아득히 멀리 있는 분' 외계인이 돌아온다는 약속이었다.

외계인은 완전한 정보의 보유자, 제사장은 식별 능력의 보유자, 족장(우두머리)은 완전한 합리성의 보유자로서 삼위일체의 시작이었다. 각각 역할을 분담하여 동등한 입장임을 보여주었다.

외계인은 지구인과의 관계를 적절한 거리로 이용하였다. 어떤 때는 가까이, 어떤 때는 멀리, 그들은 이미 인류 심리를 꿰뚫고 있었다. 어떤 건 사실적으로, 어떤 건 환상적으로, 위협과 유혹도 서슴치 않았다.

그들이 필요한 건 첫째 지구인의 믿음이었다. 그들은 타이밍의 귀재

다. 그 누구도 부정하지 못하리다. 때로는 선물을
쥐어주면서 달래기도 하였다. 현대에 이해할 수
없는 유물이 그 증거다.

기원전 100년 경. 그리스인에 의해 만들어진 안
티키테라 장치에는 30개 이상의 톱니바퀴가 있
다. [그림 18-5] 어떤 이는 이를 두고 외계인이 쓰
던 자동계산기라 한다.

[그림 18-6]

기원전 2천 년 경. 그리스 크레테 섬. [그림 18-6,
7] 해독불가인 페이스토스 원반이다. 앞 면에 123
개의 기호다. 코스모스의 천원과 3개의 엎어진 팽
이 모양이다. UFO모양이기도 하다. 뒷면에는 119
개의 기호다. 코스모스가 가장자리로 옮겼고, 팽
이가 천원에 왔다. 12개다.

[그림 18-7]

뉴그레인지 나선형 조각과 연관하여 달력으로 보는 설도 있다. 123일
이 119개의 기호들을 모두 한번씩 지나면 모두 14,637이 된다. 3일이 빠
진 40년이다. 오두막집을 역경으로도 해석이 가능하다. 가로판이 태극이
며, 아래 위로 양의다. 위로는 6 공간이다. 축구공 모양은 천원과 6획으
로 나눈다. 뒷면으로 가면 수량이 변한다.

14,637 + 72 + 1,000 = 15,709. 14,637에서 핵심 숫자 72를 더하고 외계
인 수명 1,000을 더하면 입체바둑판 15,709 총지점이 나온다. 곧 순환하
여 변천하는 순천의 의미.

19 경

* 태양도 돌고있다 *

우리는 4차원 시공간에 산다. 3차원 공간과 1차원 시간이다. 칸트는 시공간이 인간외부에 있는 게 아니고 인간내부에 있다고 주장하였다. 한편으론 우리가 하는 말이기도 하다. 우리의 적은 우리 내부고, 제 자신을 이겨야만 이기는 거다. 인식은 눈에서 하는 게 아니라, 머리에서 한다.

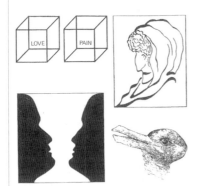

[그림 19-1]

뢰펜은 인간이 감지할 수있는 가장 짧은 시간은 0.03초이고, 가장 긴 시간은 3초라 하였다. [그림 19-1] 게슈탈트 그림들. 네커의 정육면체를 계속 쳐다보면 면이 반전된다. 쳐다본 윗면이 옮겨진다. 인간의식은 지속되지 않고 3초마다 바뀐다. 한마음이 계속 유지되더라도 순간 순간 정지과정을 거친다. 2번쨰 귀부인 옆모습 또는 노파다. 3번쨰 꽃병 또는 두 사람. 4번쨰 오리 혹은 토끼다. 보이는 부분도 달리 해석할 수 있으니, 보이지 않는 부분은 더하지 않겠는가.

외계인의 우주원리는 한마디로 진동과 회전이
다. 그게 입체바둑에 요약되었다. 진동과 회전도
순간에는 정지다. 가장 최소 단위인 플랑크 길이와
플랑크 시간이 있다. [그림 19-2] 플랑크 시간. 빛이
빨라도, 인간의 반응속도는 다르다. 시각은 0.17초,
청각은 0.13초다. 그래서 탁구선수는 청각에 먼저
반응한다. 남자들 몽정에서 알 수 있듯이 머리론
이미 사정하는데 정액 사출은 우리의 손이 가서 받
아낼 때까지 기다려 준다.

[그림 19-2]

집합이론인 M이론에 따르면, 공간차원 10개와
시간차원 1개를 가졌다. 가시적인 3개를 제외한 7개의 공간차원은 아주
작게 감겨져 있다. 바둑 돌 하나에 엄청 많은 뜻이 감겨져 있듯이.

시간이 2차원, 공간 3차원 막에 갇혀서 산다는 이론도 있지만, 우리 존
재 이유로써 불가하다. UFO의 존재이유로도 불가하다. 입체판에서 '스
핀 네트워크' 처럼 중력을 계산한다.

입체바둑에선 상천원에 백돌 하나 놓으면서 그 밑의 흑돌 다 따먹기
도, 하천원 흑돌 하나로 그 위의 백돌 다 따먹기도, 천원에 한점 놓으면서
주위의 모든 상대의 돌을 다 따먹기도 한다. 역으로 보면, 천원점 하나에
서 우주가 탄생하였다.

천원에서 음양으로, 한 점에서 전자와 중성자 핵이다. 중성자 핵은 재
생산되니 여자의 틈이라 음이라 보고, 전자는 보이는 양으로 본다. 그
전자를 보이지 않는 힘으로 볼 때는 양자이다. 인간의 난자는 바둑알이
고, 정자는 그 바둑알의 위치를 결정한다.

지구는 초속 30km로 태양을 돌고, 태양과 태양계는 초속 230km 로 궤도에 따라 여행하여 은하수(은하계)를 한 바퀴 도는데 2억 5천 만 년이다. 외계인이 그걸 마야인에게 일러주었고, 마야인은 그 가르침에 천문학 연구를 잠정 중단하기로 하고 집단 이주를 하였다. 태양엔 지구 1백 30만 개나 담긴다.

외계인은 그들 별에서 서식지를 가지듯, 그들 별을 그들 태양계에서 서식지로 인식하였다. 사람아닌 별의 서식지. 그래서 다른 서식지를 찾아보다가 태양이 없는 행성들과 그들 별과 유사한 지구를 우연히 발견하였다.

우측 반달이면 보름이 되어지고, 좌측 반달이면 그믐이 되는거와는 반대로, 옛날 이집트의 새해 첫 날은 하지인 6월 21일이었다. 달처럼 생각한다면, 12월 21일 동지 다음 날 12월 22일이다. 그 다음 날인 2012년 12월 23일을 종말로 계산하는 사람도 있다.

피라밋을 축조한 임호텝은 평민에서 유일하게 신의 대열에 올라섰다. 바둑에도 신의 경지에 올랐다. [그림 19-3] 피라밋 안에서 통신 바둑도 두고, 복기도 하였다. 조세르 신전의 부조는 무릎에 노트북을 얹은 그림이다. [그림 19-4] 그 노트북에서 뱀

[그림 19-3]

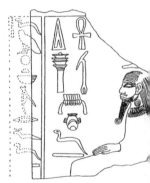

[그림 19-4]

이 오르는 것은 홀로그램 입체상이다. 아메넴헤트 3세의 피라미디온에 있는 장식의 일부.

[그림 19-5]

[그림 19-5] 두대의 노트북으로 입체바둑을 두는가보다. 카이로 박물관 소장품.

표범가죽을 입은 왕자 이우누가 제사상 앞에 앉아있다. [그림 19-6] 그림 자체로 많은걸 시사한다. 우측 하단에 비행물체, UFO로 보인다.

[그림 19-7] 금박을 입힌 피라미디온(피라

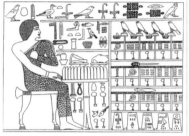
[그림 19-6]

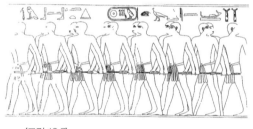
[그림 19-7]

밑 꼭대기에 없는 삼각 사면체)을 끌고있는 모습이다. 피라미디온으로 보일 뿐 실제는 외계인이 건넨 부양기들을 담은 관이다. 보통 마지막 한 줄

사람들이 뒤를 돌아보는데, 여기서 두 줄의 사람들 이란 것은 무게보다 중요성을 나타낸다.

영원한 생명의 상징을 받고있는 페피 2세의 피라미드 신전에 새겨져 있는 부조상이다. [그림 19-8] 이집트 십자가 윗부분 원은 여자의 성을, 아랫부분 막대기는 남자의 성기를 나타낸다. 수호여신이 여자 성기를 페피 2세 코 앞에서 흔들며 유혹하니, 그의 성기가 발기하여 텐트를 치고 있다.

[그림 19-8]

[그림 19-9]

기존의상을 활용한 재치있는 그림이다.

　다흐슈르에서 발견된 메리트 공주의 황금 가슴 장식 뒷부분이다. [그림 19-9] 두 타원형에 팔이 들어 있고, 그 밑에 3 곡선(산)으로 파동을 나타내고, 부메랑을 든 아시아 출신인 2 멘튜-베두인 족이 포로로 잡혀 있다. 아우이브레호르 왕의 정령 목각상이다. [그림 19-10] 두 팔이 머리 위에 있다. 하늘인에 대한 복종, 환영 아니런가.

　기원전 530년 경. 이탈리아 아우구르스의 무덤. [그림 19-11] 벽에 그려진 문에 흰 알이 있다. 세로 9알, 가로 하단 12알 중간 12알 상단 12알 총 45알이다. 천정에는 한국 순장바둑판 화점문양이 촘촘히 찍혀 있다.

[그림 19-10]

[그림 19-11]

20 경

* 대륙도 섬이다 *

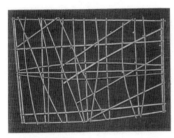

[그림 20-1]

폴리네시아인들은 어떻게 남태평양을 누볐을까. [그림 20-1] 격자식 해도, 외계인이 전한 바둑판의 활용이다. [그림 20-2] 남태평양 원주민 정착 시기.

기원전 210년, 진시황제의 무덤에서 출토된 수많은 토용들은 외계인의 주문이었다. 불로초를 찾은 건 합작품이다.

언젠가 중국에서 완전한 혁신 기술(개봉할, 지금은 가득한 수은가스를 안전하게 분리하기 곤란하여)이 준비되어 시황제의 본 무덤을 열면, 남아있는 외계인의 손길을 확연히 볼 것이다.

사마천이 〈사기〉에 적었다.

" 관을 안치하고, 진귀한 물건으로 가득 채웠다. 기계적 순환장

[그림 20-2]

치로, 강과 바다를 수은으로 흐르게 하였고, 반짝이는 천상의 성좌를 천장에 설치하고, 금과 은으로 새를 만들었고, 옥으로 소나무를 만들었다. 등불은 영원히 꺼지지 않는다."

일반적인 의미의 물질을 잘게 나누면 분자가 되고, 분자를 더 작게 나누면 원자가 된다. 원자는 원자핵과 전자로 나뉜다. 전자는 더 이상 나눌 수 없지만, 원자핵은 양성자와 중성자로 나뉘고, 그들은 다시 쿼크로 나뉜다.

쪼개지는 원자핵은 여성의 틈이라 음이고, 전자는 남자의 성기라 양이고, 그래서 원자는 천원에서 음양으로 나뉜다. 전자를 빛으로 본다면 광자가 되고, 그런 기묘한 파동으로 성질을 지닌 존재가 되면 양자라 한다.

어떤 박테리아들은 유전정보를 재결합해서 성을 가지고 있다. 섹스를 하였지만, 그게 이성간인지는 모른다.

"우연도 그 이유가 있다."

페트라니우스가 말했다.

우연의 과학적 해석은 확률로 시작한다. 네 가지 색 정리를 쉽게 설명하려면, 바둑의 각 칸에서 같은 색이 물리지 않으려면, 4가지 색으로 충분하다고 정의한다. 간단한 비유지만, 입체바둑으로 물리를 정의한다.

장거리 비행기를 타고가면 여러번 난류를 만난다. 비행기가 갑자기 푹 내려가면, 경험자도 심장이 덜컥 내려앉아 가슴을 쓰다듬는다. 기상학에서 열의 이동으로의 난류인 '별난 끌개들'을 우주에서도 만난다. 외계인은 중력으로의 인한 끌개들을 입체바둑에서 연구하며, 아울러 별난 끌개들의 소견 사항을 미리 점검한다.

"풍선터뜨리기 파동", '바닥무너뜨리기 진동'

뜨거운 물과 찬 물을 합치면(비가역적), 미지근한 물을 얻는다. 그런데 미지근한 물을 뜨거운 물과 찬 물로 나눌 수 없다는 시간의 법칙을 이해한다면, 별난 끌개들에 대처하기도 쉬워진다.

예방되지 않는걸 예방한다는 모순의 존립 가능성을 찾는다. 언젠가는 미지근한 물이 분리된다 하더라도, 많은 시간을 맡길 수가 없다. '없다'는 그것이 '있다'를 유도할 수 있는 가능성이다.

사람들이 많아지며 큰 집도 많아졌다. 칼과 방패같다. 입장료만 없으면 좋을텐데, 큰 집마다 자기집 에 들어오란다. 어떤 집은 어떤 방패도 다 뚫는 칼을 갖고있다 하고, 어떤 집은 어떤 칼도 다 막아내는 방패를 갖고있다 한다.

누가 했던 말이 떠오른다.

"나는 되는 일 하나도 없고, 안 되는 일 하나도 없다."

초기 왕조의 통치자 우르난세가 흙을 바구니에 담아 나른다. [그림 20-3] 통치자보다 더 높은 사람은 신전건축 감독관인 외계인이 아니겠는가. 우르의 왕릉에서 발굴된 칠현금에 부착된 황소 두상 밑의 손

[그림 20-3]

[그림 20-4]

가락은 8개다. [그림 20-4] 긴 손가락은 6개다.

[그림 20-5] 묶여있는 반란자들 앞의 왕위찬탈자를 밟고있는 다리우스 1세가 제사장 차림으로 상공에 떠있는 외계인과 손짓 인사를 나눈다. 외계인으로 보이는

[그림 20-5]

[그림 20-6]

초기왕조의 황소인간이다. [그림 20-6]

딜문의 인장들. [그림 20-7] 6에선 바둑판을 사이에 두고, 대국전 의식을 치르고 있다. 7에선 부양기를 가로채려고, 외계인을 살해하고 있다. [그림 20-8] 2 신이 산 위에 앉은 신을 살해한다.

고대 페르시아 아케메네스 왕조를

[그림 20-7]

창건한 키루스의 무덤이 입체바둑 상틀처럼 보이나, 무덤이 맞는지 아닌지, 그의 죽음처럼 의문에 쌓여 있다. 은폐된 진실은 이집트로 진군하는 그의 육체를 외계인이 거두워 갔다. 사령부의 직접 호출이었다.

그의 아들 '캄비세스'가 '거대한 집' 이란 뜻인 파라오 시대에 종지부를 찍었다. 태양의 아들이며, 지상의 신인 파라오를 역사의 길로 보냈다.

세계 각지엔 수많은 고인돌이 흩어져 있다.

[그림 20-8]

한국에는 고인돌이 많다. 바둑판식과 탁자식이 주종인데, 그 위에 바둑판을 펼치면 안성맞춤이다. 큰 고인돌은 제사장의 무덤이라, 그의 영험

한 기를 물려받으려 제단으로 쓴다. 현대의 원시부족에선 아직 전통을 이어간다. 조상의 시체를 말려서, 함께 살든지, 동굴에 모신다.

훨씬 후대에 추가된 알구멍, 바위구멍이라 불리는 성혈(星穴, 性穴)이 다산 기원, 별자리 등을 뜻한다. 바둑도 포함된다.

고인돌 위에 세계적으로 행해지고 있는 고누놀이 줄이 그어져 있다. 장기보다 간단한 양식이다.

평양 고인돌 부장품인 청동교예 장식. 두 사람의 한 손은 바둑알을 담는 큰 원이며, 한 발은 터진 큰 원이다. 다른 손과 발은 한 몸으로 이어져, 둘이서 바둑두며 즐기는 걸 말함일까. [그림 20-9]

[그림 20-9]

고인돌 기록으로 한국의 이규보 문집에 나타난다. 서기 1200년

"세상 사람들이 말하길, 성인이 고여놓은 것."

중국에선 기원전 78년 〈진한서〉에 처음 나온다.

"큰 돌이 스스로 서 있는데, 3개의 돌로 다리를 삼았다."

서기 190년 〈삼국지〉 '위서'에도 언급되었다.

"큰 돌이 하나 있는데, 그 밑의 3개의 돌이 다리와 같다."

21 경

" 만물은 더 이상 쪼개질 수없는 작은 입자로 이루어졌다."

기원전 6세기 인도의 한 철학자가 처음으로 말했다.

사람의 몸도 화학 물질이 조직적으로 모여 있는 큰 집합체다. 화학 반응에 참여하는 가장 작은 단위는 원자다. 원자의 핵은 양성자와 중성자를 갖고 있으며, 핵 주위에는 궤도를 돌고있는 전자가 있다. 분자는 원자들의 결합으로 이루어진다.

방귀냄새는 분자의 확산이다. 분자의 농도가 똑같아질 때까지 확산된다. 세포는 우리 몸에서 살아있는 최소 구성 단위다. 사람 몸 내부 환경의 상태를 안정하게 유지하려는 것을 항상성이라 한다.

입체바둑으로 항상성을 추구하는건 두 종류가 있다. 하나는 몸 내부 장기들 역학 관계를 조절 계산하여 개선하고, 다른 하나는 대국하면서 불교에서의 선같은 명상을 즐긴다. 전기작용과 화학작용의 분석도 가시광선으로 가능하다. 눈은 빛 에너지를 전기적 신호로 바꾸어 뇌로 보낸다.

우리가 바둑을 수담, 예도라 부르는 것과 무관하지 않다. 대국으로 신

과 해탈의 경지에 오를 수도 있다. 바둑두는 신선

들의 모습이 자주 묘사되는데, 그것 또한 평민이

신선에 오른 경지다. 대국의 승패에서 벗어나자.

남녀의 섹스로도 해탈하는데, 섹스를 끝내고 승패

를 따지는 어리석음의 소치를 범하랴.

[그림 21-1]

에스파냐(스페인)에서 발굴된 기원전 4세기 조각

상은 아틀란티스의 여사제다. [그림 21-1] 진성 섞

인이의 모범같다. 이집트 문명의 독특한 상징은 오벨리스크다. 조각품이

바늘처럼 위로 갈수록 얇아지다 꼭대기는 소형 피라밋 형상(벤벤스톤)이

다. 천원에서 솟아오른 우주기둥이다.

언약궤를 허락없이 만진 이스라엘인도 죽었다. 기실 외계

인이 건넨 그들의 바둑판이 담겨 있다. 지구의 물질하곤 달

라서 섞이지 않는 사람이 가까이 하면 죽는다.

궤가 떠날 때 모세가 말하였다.

'여호와여. 이스라엘 천만인에게로 돌아오소서."

'여호와' 히브리어 문자를 세우면, 선 사람으로 우주의 이

미지다. [그림 21-2]

평면 바둑판을 세우는 건 입체바둑판을 암시한다. 한 칸

[그림 21-2]

[그림 21-3]

한 칸 작은 사각형을 흑백으로 교차한 건 음양교차설이다.

바룩이 말하였다.

"음부까진 처녀고 그 밑으론 뱀인 여신과 남신을. 그리고 아담과 이브의 탄생을. 그리고 예수를."

이스라엘의 후손이라고 주장하는 사람들은 세계 각지에 있다. 고대 그림에서 발췌한, 일본에 간 이스라엘인들의 행군대열이다. [그림 21-3]

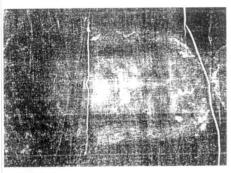

[그림 21-4]

다윗왕이 언약궤를 예루살렘으로 가져온 뒤 솔로몬은 그것을 새 성전의 내소에 안치했다. 가장 중요한 이스라엘의 국보였다. 일본 도쿄 황실에도 비밀궤가 안치되어있다.

[그림 21-5]

토리노의 수의는 예수의 얼굴이 촬영된 수의다. [그림 21-4] 조작품이 아니라면, 진성 섞은이가 아니라 본토 외계인이다.

기원전 1세기 구리 두루마리가 발견되었다. 64개의 보물이 적힌 목록이다. 여는 과정에서 12줄로 된 글 부분은 23개의 조각으로 나뉘었다. [그림 21-5]

23cm 너비의 사해 구리판이다. 현재 히브리어로 사용되는 문자도 적혀있다.

유대인에겐 여러 언어가 있다. 백 년 전 언어도 있

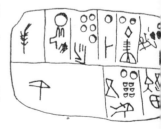

[그림 21-6]

다. 현재 인도 뭄바이시는 시자체로만도 20여 개의 언어를 쓰고 있다.

조용히 드러내는 바둑을 보자. [그림 21-6] 기원전 300년 수메르의 그림 문자. [그림 21-7] 기원전 2세기 그린랜드 룬 문자의 비문이다.

[그림 21-7]

일본어는 각 46개로 히라가나와 기타가나다. 2가지를 쓰니, 역으로 2로 나누자.

$46 \div 2 = 23$ (로 바둑이다)

조지 샌솜이 일본어를 두고 한 말이다.

" 세상에서 가장 복잡하고, 가장 열등적인 문자다."

17로 바둑판에서 한글 자음과 모음을 만들어 본다. 첫 선부터 끝 선까지 활용하고, 글자 사이는 한 칸 띄운다. 바둑알로 기본 가로, 세로 5점 배열

[그림 21-8]

로 늘어본다. 첫 판은 자음 9개로 딱 맞다. 둘째 판은 자음 5개와 나머지 부분에 ㅑ, ㅓ, ㅛ, ㅠ, ㅡ, ㅣ 모음이 다 들어간다. 루이 브라이는 야간문자를 만들었다. 바둑알 6개의 배열이다. 엘리베이터를 타면 층의 숫자 옆에 조그만 좁쌀알을 만질 수 있을 것이다.

이스터섬 문자는 롱고롱고다. 최초 이주민이 남긴 말이다.

[그림 21-9]

"그들은 알지도 못할 것이다. 우리가 가져온 신성한 목판은 파괴되고,

[그림 21-10]

코 하우 롱고롱고는 영원히 사라질 것이다. 아. 슬프도다!"

마야 옥수수신의 머리 장식 [그림 21-8]과 호주의 부메랑 든 그림에서 허리받이와 머리가 비슷하다. [그림 21-9] 호주의 암벽화는 살아있는 전설

[그림 21-11]

이다. [그림 21-10] 사람 모습보단 외계인의 다른 모습이다.

[그림 21-11] '꿈의 시대' 호주 원주민의 숭배대상인 추룽가는 입체바둑의 해설도다. 중앙 천원과 4성, 위에 상천원, 아래에 하천원이다. 천원과 상하 소용돌이는 3차원을 뜻한다. 하늘, 지상, 지하 그리고 심장에서 머리, 배꼽에서 심장, 항문에서 배꼽이다.

[그림 21-12]

[그림 21-12] 번개를 남자의 발기로 보았다. 대단한 발상의 전환으로 유머스럽다. 일본 토기에선 우주기둥이었다. 전자가 동적이라면, 후자는 정적이다.

22 경

* 적자 자존 (適者自存) *

만물의 흐름이다. 어느 무리에서나 높은 사람을 따라한다.

쿰란에서 발견된 두루마리가 〈에녹서〉다. 노아의 할아버지 에녹은 하늘로 불려 올라가 '천사들 사이에서' 살고 있었으며, 대홍수 전에 9개의 비밀창고를 만들고 2 기둥을 세웠는데, 아직 발견이 되지 않았다. 9 성점에 상하 바둑판을 뜻한다. 고대 서양에서의 천사는 외계인의 표현이었다. 외계인에겐 날개가 달리지 않았지만, 하늘로 올라갈 때는 승강에너지가 빛을 발하여, 날개같이 묘사하였다. 날개란 말이 나오는건 1세기 후이며, 그림에 날개가 등장하는 것은 한참 뒤다. 외계인 인자로 사람의 몸에서 영기가 타원형으로 나오기도 한다.

〈에녹서〉에는 '하느님과 함께 살았다' 는 표현이 두 번 나오고, '하느님께서 그를 데려가셨다' 라는 말로 끝맺고 있다. 외계인을 '지켜보는 자', '깨어있는 자' 라며 주시자라 하였다. 타락천사라고도 하였다.

" 인간의 여인들은 임신을 하여 거인을 낳았다. 그들은 인간의 옷을 입었다."

키가 큰 거인이 아니라, 하는 일이 거인들만 할 수 있는 역사였다.

주시자들 중에 한 우두머리인 아자젤을 이렇게 기록하였다.

" 인간들에게 검과 갑옷을 만드는 법을 가르쳤으며, 금속과 그걸 이용하는 많은 방법을 알려주었다. 심지어 성적인 쾌락을 즐기는 방법과 '자궁안의 아이를 죽이는 방법' 등 사악한 기술도 가르쳐 주었다."

아울러 기상학, 천문학, 지리학, 의학 등 과학 기술도 가르쳐 주었다.

하느님의 아들들이 사람의 딸들을 보고, 마음에 드는대로 아리따운 여자를 골라 아내로 삼았다.

에녹이 울다가 잠이 들었을 때 두명의 주시자가 나타나는데, 그 모습이 모세 아버지에게 나타난 모습과 흡사하였다.

" 거인의 얼굴은 태양처럼 찬란하고, 눈은 촛불 같았으며, 입에서는 불을 뿜었다. 그들의 날개는 황금보다 빛났으며, 손은 눈보다 희었다."

구약성서에서 출애굽기와 신명기를 잇는 모세 오경의 하나인 민수기에 나온다.

" 우리가 말한 거인들 가운데는 아나킴 말고도, 다른 거인들이 또 있더

라. 메뚜기 같았는데, 그들이 보기에도 메뚜기 같았을 것이다."

거인을 작은 메뚜기로 비유한 건, 그들자신과 비교해서 키보단 눈이 더 컸단 말이다. 유대학자 중에서 아나킴을 '목이 긴', '목걸이를 한 사람' 으로도 해석한다.

[그림 22-1] 기원전 12세기, 바빌로니아 멜리시파크 왕이 세운 석비는, 중국의 하도, 낙서와 비슷하다. 거북이, 용, 8개의 원뿔과 천원, 달, 4개의

[그림 22-1]

원뿔과 4개의 천, 겹쳐진 사각형의 여러 문(의자)들 그리고 하나의 바둑판 문양이 있다.

[그림 22-2]

기원전 539년 바빌론이 함락되자, 다리우스가 최초의 세계제국, 페르시아의 왕이 되었다. 28개국의 왕중 왕. 페르세폴리스 왕궁에는 여러 나라에서 온 사신들로 붐볐다. (기원전 6세기 설) [그림 22-2] 기원전 325년 작, 그리스 침공을 논의하는 다리우스의 작전회의다. 밑부분에 바둑판을 펼쳐 놓고 전략을 짜고 있다. 구약성서에 따로 외경이라 불리는 17권의 책이 있다. 다리우스를 끝으로 여러 왕을 모신 예언자 천사 다니엘을 언급하였다.

조로아스터교의 주신 아후라 마즈다에서의 아후라는 '빛나는 자'로 외계인인 천사다. 페르시아 왕조에서도 태어난 아기가 노아와 같이 이단적으로 묘사되어, 주시자와 연결된다. 그 아이를 죽인 삼왕은 아후라 마즈다에게 기도하여 돌려받는다. 그가 잘이고, 그의 아기는 제왕절개로 나온다.

이디오피아 〈케브라 나가스트〉에서도 제왕절개로 네피림을 낳는다. 여러 지역에서 나오는 '빛나는' 주시자는 외계인의 묘사다. 태양광 차단 크림 또는 피부 보호제 로션을 발라도 그렇게 보였으리라.

그 당시 불사약이 유행하였다. 파리광대 버섯은 샤먼 문화에서 1만 년 동안 사용된 환각제다. 그 환각제의 효능이 죽음을 두려워하지 않았다. 페르시아와 티벳의 조장(시체처리를 조류에게 맡기는 장례법)은 마야의 희생제물과 틀리지 않는다. 외계인 선조에 대한 경외심의 발로다.

[그림 22-3]

[그림 22-3] 기원전 12세기 페르시아 고대도시 수사의 출토품. 하부엔 2편의 17로 가로줄이 있고, 상 피라밋 형이다.

이라크 고원 쿠르드족의 한 부족인 예지드족은 노아의 후손이라고 한다. 그들에 의하면 대홍수도 두 번 있었고, 배에 구멍이 나서 물이 들어오는 것을 뱀이 목숨을 바치고 막았단다. 그들은 (비를 예측하는 공작새의 깃털에는 파랑, 검정, 녹색의 뚜렷한 눈모양이 있다) 공작천사를 숭배하며 무서워 하였다. 발설하는 자는 눈이 먼다고 믿고 있다.

얼마전에 그들의 비밀 동굴이 발견되었다. 잘 닦인 바닥 틈으로 직사각형 판과 그 옆에 6개의 물건이 있었다. 판에는 12개의 작고 둥근 홈이 있었다. 원뿔 모자를 쓴 사람과 연꽃 위에 앉은 조각상이 있었다.

'고깔모자를 쓴 단군'이란 책이 있듯, 고깔모자는 외계인 선조를 본딴 단군족 징표다. 하늘 연꽃 = 천부(天芙)다!

쿠르드족의 야레산족의 진주로 상징되는 우주기원론은 예지드족과 대단히 흡사하다. 아담과 이브도 나오고, '고귀한 흰 매'가 동정녀의 치마에 내려앉았다. 그 치마를 몸에 둘렀다가 펼치니, 아이 셋이 나왔다. 루다베는 '낙원 그 자체인' 얼굴에다가 머리에서 발 끝까지 '상아처럼' 흰 피부를 가졌다. 거인인 남편보다 '머리 하나 만큼' 더 컸던 상아빛 공주였다. 〈에녹서〉의 주시자의 특성이다. 예지드족 아담은 72명이였었다. 1명씩 1만년을 지배하였다.

[그림 22-4]

쿠르드 유대인에 겐 솔로몬 전설도 있다.

[그림 22-4] 뉴기 니 섬의 새 인간과

[그림 22-5]

[그림 22-5] 시리아 박물관의 인두조신.

흡혈귀에 관한 원천도 주시자를 무섭게 보는, 평행 우주에 대한 막연한 공포와 불로불사의 영약을 찾으려는 조바심에서 발생된 것이다. 〈인류의 요람〉 책에는 반은 인간, 반은 염소인 '두려운 뱀파이어'가 여행자들을 길에서 유혹하여 피를 빨아먹는다. 낯선 것에 대한 본능적 두려움이다.

바빌로니아 도시 쿠타사원에 쓰여진 기록이다.

" 새의 몸통을 가진 자들, 갈가마귀의 얼굴을 한 인간들, 위대한 신들이 이들을 창조하셨다."

기원전 17세기 수메르어로 대홍수를 언급하였다.

" 멸망의 시기에 인류의 씨를 보호했다. 그들은 바다 건너, 동방의 딜문에 정착했다."

딜문이 어딘지는 명확하지 않다. 기원전 8천 년 전부터 쿠르드 고원의 부족공동체는 눈부신 발전을 하였다.

고고학자가 말했다.

" 이 땅의 거주자들은 이유가 밝혀지지 않은 기념비적인 기술적 진화단계를 거쳤는데, 그것은 아

[그림 22-6]

직까지 알 수 없는 힘에 의해 자극된 것이었다."

[그림 22-6] 기원전 2600년 경 숫양 조각상. 이라크 우르의 왕실분묘 출토품. 양쪽의 8가지와 중앙 1가지가 있는 생명의 나무에 '강한 염소 사람'이 기대어

[그림 22-7]

있다. 주시자로 보는 견해도 있다.

[그림 22-7] 왼쪽 사진은 우르 유적에서 출토된 도마뱀 형상. 오른쪽 사진은 자르모 유적지. 낯선 형태의 인간 머리.기원전 6천년 경.

[그림 22-8] 이라크 에리두 유적. 남녀 흙인형. 기원전 5천년 경. 외계인으로 보이지 않는가.

[그림 22-8]

[그림 22-9] 염소 사람인지 외계인인지, 이란 고원 엘람에서 출토된 인장.

[그림 22-9]

[그림 22-10]

[그림 22-10] 가나안 신 두상. 구리 주형. 네피림 특유의 상징으로 본다.

[그림 22-11]

옛 터키왕국 카파도키아 암석지대에는 "수도자의 골짜기"라는 원뿔 모양의 바위탑이 즐비하다. [그림

22-11] 동굴 거주지가 셀 수 없을 정도로 많다. [그림 22-12] 기독교인들의 피난처 동굴의 벽화.

[그림 22-12

[그림 22-13] 기원전 6400년경 신석기시대 성소에서 발견된 벽화들과 매우 유사

[그림22-13]

한 비기독교적인 새 - 샤먼 그림이다. 동양 사상 즉 낙도와 하서를 바둑판으로 보는 느낌이다.

터키의 지하도시 테란쿠유는 '깊은 우물' 이란 동굴이다. 기원전 1만년경. 마지막 빙하기가 끝날 무렵이다. 1만 5천개의 환기 구멍에 2만 명을 수용할 수 있다. [그림 22-14]

[그림 22-14]

[그림 22-15] 고대 우주비행 이론가인 데니켄이 테란쿠유는 외계문명의 공습을 피하기 위해 건설했고, 그곳

[그림 22-15]

벽화는 지구로 날아온 외계인의 모습이라 주장한다.

23 경

* 귀는 소리를 듣지만 오직 지성만이 소리를 해석하고
그 화음을 파악할수 있다 *

한 음악가의 말을 바꾸어 본다.

" 눈은 사물을 보지만 오직 지성만이 그 까닭을 알 수 있다."

[그림 23-1]

지구인에 실망한 외계인이다. [그림 23-1] 독일 무덤에서 나온 기원전 5세기 켈트족 전사다. 우주에서 비행하는 UFO가 배꼽 부위에 있다. 로마는 상당히 앞서 나가는 켈트족에게서 여러 기술을 도입하였다.

기원전 16세기 북유럽 전차에서 태양을 묘사한 금속의 내부원은 천원을 비롯하여 9성이며, 그 주위에는 음양의 원들이 많이 있다.

[그림 23-2]

기원후 100년쯤 사라진 로마의 군단(스페인 등)들은 외계인의 정리절차에 포함된 까닭이다. 그 시대에 생겨진 미트라교는 동양에서 전래하였다지만, 동양에선 그 사원이 없다. [그림 23-2] 기원전 1세기 부조에 안티오코스

1세가 원뿔모자를 쓴 미트라신(부채꼴 후광)을 만난다.

　'Q 유적' 등 마야의 잃어버린 도시들도 외계인의 시간을 기다리는 정리 차원이었다. 미트라교, 바로 단군교다. 외양보다 내실을 중시하는 은자의 나라, 외계인 직손임을 드러내지 않는 단군교 특색이다. 스스로 종교라 칭하지 않는다.

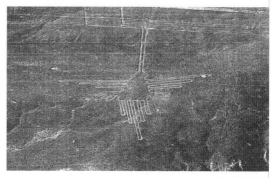

[그림 23-3]

　"사람은 위대하다!"

　진리를 믿어라.

　미트라 = 믿어라.

　[그림 23-3] 나스카 사막의 새그림은 17로와 우주기둥을 보여준다. [그림 23-4] 비행기에서만 관망할 수 있는

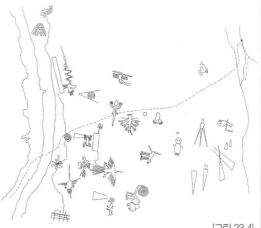

[그림 23-4]

그림들. 외계인 선조가 탄 UFO를 부른다. [그림 23-5] 태양 대문의 신(티와나쿠 주요 신들중 하나)은 사각형 19로 깃털을 달고 있다. 또한 거대한 바둑판을 보자. ([그림 2-6] 참조) 하늘에서 입체바둑을 바라본다.

[그림 23-5]

　1만 1천년 전 브라질 핀타다의 암석화. 타원형 상하

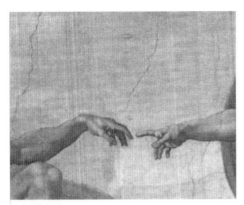
[그림 23-6]

바둑틀, 하 바둑틀 모양이다. 마방진 속의 마방진처럼.

잉카에서 어린이를 제물로 바칠 때, 가슴에 사마귀가 발견되어 제외된 소녀가 있었다. 제단까지의 여정도 며칠 걸려서 걸어가며, 마지막엔 마약까지 먹었지만, 신성한 제물론 부적 판결을 받았다.

고대 이집트 이스난 종족인지, 대 스핑크스는 사자자리 시대(기원전 1만년 경)에 미지의 문화에 의해 건설되었다. [그림 23-8] 아비도스에 있는 람세스 2세의 신전. 여자처럼 부푼 가슴의 남자다.

[그림 23-7]

[그림 23-8]

아비도스의 오시레이온 신전도 사자사자 시대의 것으로, 이집트에서 융성했던 두상이 긴 선대 문화의 마지막 자취다. 밸리 신전의 식재는 무게가 개당 200톤이다. 그 시대 외계인의 부양기 아니곤 불가능하다. 그들이 쿠르드 고원으로 이주하여, 이집트 문화의 공백이 있었다는 가정도 있다.

기원전 9600년에 아틀란티스가 침몰하였다는 플라톤의 기록. 조로아스터가 오기 전 9000년까지 지배하게 했다는 신화속의 사건을 거슬러 올라가면 기원전 9588년이다.

1982년 미국 일리노이 버로우스 동굴이 발견되었다. 고대 유물인 많은 부장품이 있었으며, 그 중 일부인 2천여 점이 이 세상에 빛을 드러내었다. 그 중엔 외계인의 것으로 추정되는 부장품도 상당히 들어있다. 동굴 탐사에 필요한 재정지원 명목으로 팔려나가서, 발견자가 1991년 사망할 당시는 1백여 점만 남았다. 진짜 황금유물은 동굴에 남아있고, 복제품만 팔았다는, 황금을 녹여서 팔았다는, 유물을 빼돌렸다는 소문만 무성하고 그의 죽음과 함께 동굴의 위치도 사라졌다. 조작설이 지배적이다.

[그림 23-9]

에콰도르 타이로스 동굴의 사라진 문명이 드러났다. 에리히 폰 데니켄도 찾아갔다. 지금껏 알려지지 않는 인류문명을 기록한 석판. [그림 23-9] 이상한 기호와 형상이 정교하게 새겨진 금속조각판들로 도서관을 이루고 있다 하였다. (발신인 불명으로 에콰도르 정부 수신인으로 보낸 편지가 남아 있다)

[그림 23-10]

아메리카서 1만년 전에 멸종한 코끼리 유물도 있었다. [그림 23-10]은 외계인의 모습들이다. 현재 43만 달러로 구입한 에콰도르 중앙은행이 소유하며, 부설박물관에서 전시회도 한다. 위조품이라며 은행에서 구입하지 않은건, 한

수도원이 보관하고 있다. 그럴듯 하게 제반조건을 갖추었지만, 필자의
견해론 공식 유물이란 판정을 보류한다.

1944년 멕시코에서 33만 5천점의 조각품을 찾아냈다. 공룡 토우였다.
공룡은 2억 5천 만년 전에서 6천 5백 만년 전까지 살았다. 토우의 제작년
도는 6500년~2000년 전이다. 모조품이라고 비난했던 미국의 고고학자

[그림 23-11]

가 4점을 골라서 펜실바니아대학 박
물관에 의뢰했다. 대학에선 18번씩
반복하여 측정하였다.

오하이오 주립대학에서도 측정하
였지만, 결과는 오랜 세월로 거슬러
올라갔다. 진품이라면, 외계인의 가
르침이다.

세계에 가장 오래된 중국의 지도는
18만 분의 1로 표시하였지만, 그 정확
도가 최근의 위성사진과 같다. UFO가 아니면 불
가능하다. [그림 23-11] 5방위를 나타내는 아즈텍
책력. 15세기.

일본 해저 피라밋이 있는 오끼나와는 9000년
전 중국의 반도였다. 일본의 유적과 아메리카의
유적에서 흡사한 부분이 많다. [그림 23-12] 일본
황궁의 계단과 쿠스코의 성벽. 볼리비아 태양문
신상과 황궁의 돌 아치 입상이 그렇다. 동일한
기술자라면, UFO로 이동하지 않았겠는가. [그림

[그림 23-12]

23-13] 페루 박물관의 꽃병의 공룡 그림. 기
원전 200년. [그림 23-14] 공룡 토우, [그림
23-15] 별자리를 반영하는 나스카 그림들.
콜롬비아 왕릉에서 나온 황금 셔틀. 기원전
500년. [그림 23-16]

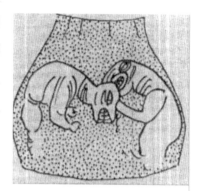

[그림 23-13]

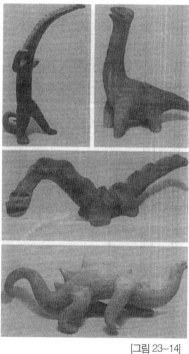

[그림 23-14]

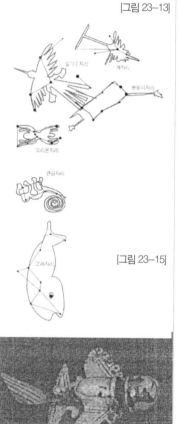

[그림 23-15]

[그림 23-16]

24 경

* 문화는 끼워맞춤이다 *

카오스 이론은 ; 바둑두면서 담배를 자주 피우게 된다. 그 담배연기로 이해한다. 처음 입에서 나올 땐 예측 가능한 가닥이다. 나중엔 예측 불가능한 혼돈이다.

[그림 24-1]

은하는 은하군에 속하며, 그건 다시 초은하군에 속한다. 초은하단은 우주에서 가장 거대한 구조로, 바둑줄이나 얇은 바둑판의 형태를 띠고 있으며, 수만개의 은하를 포함하고 있다. 우린 풍부하지 않는 국부은하군의 일부다. [그림 24-1] 우측.

지금 지구상에는 150만종의 생물이 있다. 전시대에 멸종된 생물을 제외시켜도, 아직 발견되지 않은 게 많다. 빙빙도는 지구에서 우리가 느끼지 못하는 건, 비행기나 차를 탔을 때 흔들림이 없다면, 우리가 눈감고 있다면, 우리가 움직이는걸 느끼지 못한다.

우리가 눈을 감는다면, 우리의 진실이 묻힐 수도 있다. 상호작용으로 전기는 자기를, 자기는 전기를 발생시킬 수가 있다. 그게 전자기다. 외계인의 부양기가 중력을 100분지 1로 감하면, 2톤 무게의 돌이 20킬로미터로 밖에 나가지 않는다. 더하여 자기장을 이용하면 더 가벼워진다.

난자는 정자가 하나 들어오면 스스로 단단해져 다른 정자가 들어오지 못하게 한다. 이 이치도 시간의 비틀림으로 틀어질 수 있는지, 외계인의 연구과제였다.

암흑 물질과 암흑 에너지의 활용이면 가능하다고 생각하였다. (우주를 이루는 물질의 90%가 암흑물질. 우주에너지의 70%가 암흑에너지) 먼 우주에 존재하는 물질은 중력(렌즈)에 의해 빛이 굴절하여 영상을 왜곡시킨다. 시간의 왜곡도 가능하지만, 실제의 시간 조절을 연구한다.

지능게임에서 컴퓨터가 인간을 물리친 건 1996년이다. 서양체스였다. 그렇지만 바둑은 불가능하다. 아직도 컴퓨터 바둑은 중급자들의 놀림감밖에 되지 않는다. 미래에 수정두개골에 필적할 탁월한 양자컴퓨터가 나오더라도 바둑고수를 이기진 못한다. 섞인이가 제 아무리 뛰어나더라도, 일반 외계인이 아닌, 높은 학자들 외계인을 넘어설 수 없다.

아주 뛰어난 섞인이라면 일단 외계인의 변신으로 의심할 수 있다.

1988년 파인만이 죽어면서 한 말이다.

" 이번 죽음은 지루하다."

다른 삶을 보장받지 않았다면, 그건 망언 아니겠는가. 외계인 그들도 죽으면 살아나지 못한다. 그런데 지구인으로서의 죽음은 그들 자신이 아니고, 아바타의 일종인 대리인 죽음이다. 잠시 빌렸던 지구인의 육체를 떠나서, 그들의 육체로 돌아간다. 빌렸던 육체를 주로 은폐한다. 이순신 장군처럼. *하늘을 날으는 거북선, 즉 UFO 본체다.

너무 많이 알고있다는 피타고라스도 다른 몸으로 태어났다. 그러니 불교에서의 윤회도 외계인의 작업이라면 이해가 된다.

긴 두상의 파인만이 생전에 했던 말이다.

" 나는 그 누구도 양자역학을 이해하지 못한다고 마음놓고 말 할 수 있다."

외계인의 오만함인가. 외계인의 긴 귀는 소리를 잘 들으려는 목적보단 지구열을 방사하기 위함이다.

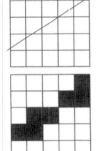

컴퓨터는 2진법이다. 0과 1이라는 온, 오프의 배열이라, 바둑돌 흑백 각 4개로 설명이 가능하다. 입체바둑에서 배울수 있는 부분이다. 바둑구슬을 아무데나 놓을 수는 없다. 그러나 임의로 그 구슬이 가는 방향과 힘을 볼 수는 있다. [그림 24-2] 직선과 영향력 지역. 직선의 파라미터(매개 변수)와 검정으로 드러나는 픽셀 패턴. 바둑고수들은 다음의 수를 머리 안에서만 얼마나 많이 만들었다가 지우는가. 그

[그림 24-2]

게 다 설계도들이다.

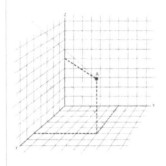

[그림 24-3] 데카르트의 3차원 좌표계다. 입체바둑을 이해하는데 도움된다. 북에서 4, 서에서 4, 밑으로 4에 상틀좌상 성점이다. 입체바둑의 착점도 버턴만 누르면 원하는 위치에 바로 불이 들어온다. 가느다란 선을 따라 그곳 교차점에 둥근 구슬이 떠오른다.

[그림 24-3]

색깔은 그들의 선택이나 주로, 선은 엷은 노

랑, 교차점은 옅은 초록, 성점은 자
주빛에 착점 구슬은 노랑과 초록이
다. 한 점이 한 선이 되듯이 DNA
사슬도 부분은 점이다. 바둑도 돌
하나에 판이 다 담긴다. 그들의 우
주관이다.

[그림 24-4] 대영박물관 소장품.
14세기 마야. 밑에서 한 손은 위를
가리키고 왼손은 6 손가락 아니면
바둑알이다. 위에선 2명이 진지하

[그림 24-4]

게 바둑알로 우주를 논한다. 천원 1과 위의 성 3, 5로 9 성이다.

마야의 그림과 조각은 구슬로 시작해서 구슬로 끝난다 해도 과언이 아
니다. 바둑돌은 지천에 깔렸는데, 바둑판은 어디에 두었을까. 신전 내부
또는 머리 내부에 두었는가.

마야인 90%가 스페인 침략자의 천연두에
전염되어 죽었다. 인디언도 많이 희생되었
다. 컬럼버스가 미국대륙 발견시 인디언 4천
만명이 지금은 4백 만도 안된다. 인위적 학살
보단 자연적 학살이었다. 외계인은 예방조치
하였다. 그렇지만 이종교배의 실험실에서 바

[그림 24-5]

이러스가 유출되었다. 에이즈같은 면역력 질환은 외계인에서 유래한다.

메트로폴리탄 미술관 소장품. [그림 24-5] 기원전 850년 그리스. 기하학
무늬의 도기다. 애도식이지만, 하 피라밋 바둑틀이 사람들 다리 위에 놓

[그림 24-6]

[그림 24-7]

여 있다. 테이블 위에 놓인 사람의 머리 밑에는 조그만 바둑판이다. [그림 24-6] 기원전 530년경 암포라. 바둑판으로 군사 작전을 모의하고 있다. 복기를 하는 걸까.

기원전 6200년 경. 터키 샤탈휘위크 동굴벽화들. [그림 24-7] 바둑판 진열같다. [그림 24-8]

[그림 24-8]

'춤추는 사람'의 허리에는 바둑돌이 감긴다. [그림 24-9] 물 마시는 이집트 여인

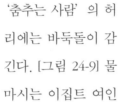

[그림 24-9]

뒤의 타원형 점집합은 흐름의 환희런가.

금강산 출토품 13세기 미륵보살상은 매우 특이하다. 정수리에서 뿜어나온 원통 위의 구형은 바둑알이 아니런가. 그게 상천원이면, 심장의 옥구슬은 천원이다. 하천원 자리는 바로 항문 밑이다. 그 부분에 2개의 알이 설마 남자의 알(고환)로 그린건 아닐 것이다. 일찍이 그런 예가 없다. 특히 예의 나라에서. [그림 24-10] 어떤 이는 머리의 원기둥도 발기한 음경과 귀두로 해석한다만, 고려시대 불경에 대한 불경죄는 능지처참에 3족을 멸할 것이다.

인도의 환희불 동상은 더하지 않는 걸까. [그림

[그림 24-10]

24-11] '바퀴' 라는 차크라 공양에는 성도 포함된다. 쿤달리니가 상승해 허리 6중추에 이르면 소우주라, 천 개의 연꽃잎이 상승해 열매를 맺는 걸로 본다.

[그림 24-11]

깨달음을 얻는 유일한 길은 섹스라며, 숭배하는 사크티파의 조각품이다. [그림 24-12]

티베트 자수. (청대) [그림 24-13] 자비상징 보현당여래가 지혜상징 불모(佛母)와 결합함으로, 자비와 지혜의 결

[그림 24-14]

[그림 24-12]

합으로 본다. [그림 24-14] 청대, 원시부처인 금강총지.

[그림 24-13]

신성한 원숭이가 인간이 되었다는, 1만년 티베트 민족의 전설은 진화론에 합리적이다.

섹스는 생물의 존재이유와 목적이다. 태극기 음양태아도와 엇꼬인 두 뱀 = 69 = 6 × 9 = 54 , 9 성점에서 천원을 대의로 해석하면, 9도(道) 8문(門).

8 × 9 = 72 , 54 + 72 = 126

제**4**부

외계인과 미래

25경

"놀이 속에 주술적 요소가 존재한다."

스튜어트 컬린의 말이다. 원시사회에서 봉헌, 희생 등의 신성한 의식이 놀이에 깃들어 있다.

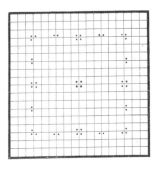

[그림 25-1]

점술에서 수를 세어 세상을 한 바퀴 순회한다면, 숫자세기 놀이는 어른들 흉내를 내는 아이의 의식이다.

순장바둑에서 매화점 33곳의 위치를 모르는 게, 불꽃 화점인줄 몰라서 그렇다. 간단히 추리하면, 16성점 곱하기 작은 불꽃 2개면 32개에서 큰 불꽃 천원 하나 더하면 33이다. 9성으로 보면, 각 귀는 불꽃 4개라 16, 각 변은 3개라 12, 천원은 불꽃 5개면 총 33개다. [그림 25-1] 불꽃들 4 × 5 = 20, 3 × 4 = 12, 2 × 8 = 16 이라 합이 불꽃 48이다.

석가모니 생일이 4월 8일이다. 화투도 48장이다.

매화점(梅花點)은 魅火點이다. 도깨비불이란 뜻이다. 신선이 바둑을 두면 도깨비같은 수를 두지 않겠는가. 우리의 민속놀이 중에 횃불놀이가 있다. 쥐불놀이는 깡통에 든 불을 돌려서, 캄캄한 어둠에 빛나는 원을 만들어 원초적 본능으로 UFO를 부르는 잠재의식의 발로다. 횃불놀이는 횃불을 쫓고 쫓기면서, 횃불이 다 꺼지면 싸움도 끝난다. 생사를 불로써 일깨운다.

대보름에 달을 먼저 보면 복도 먼저 얻고, 달빛으로 점도 쳤다. 미묘하게 달빛이 달라서, 자연의 변화를 먼저 아는 천문관찰이 민중으로 퍼진 걸 말한다. 횃불놀이는 서로 진지와 포로를 많이 빼앗는 팀이 이긴다. 옷이 불에 타든, 화상을 입든 불평하는 자 없었다.

세시풍속으로 설에 세배하면 세뱃돈을 준다. 아울러 윷점을 쳐주기도 하였다. 한가지 예를 든다.

"걸도개라, 더위에 부채를 얻었구나."

18세기말 유득공의 〈경도잡지〉에 있다. 17음으로 이루어진 일본 짧은 시가 겹친다. 하이쿠의 대가 16세기 마쓰오 바쇼의 시다.

"오랜 연못에 개구리 뛰어드는 소리 텀벙."

일본의 근세신문에 우주착륙선과 비슷한 물체가 바닷가로 떠밀려왔다는 기사가 삽화와 함께 실렸다.

윷놀이는 과녁 앞에 부러진 화살에서 힌트를 얻었다. 64괘(掛)에는 규(圭)가 들었는데, 규는 귀족층의 홀(笏)을 의미하고, 홀은 점술에서 사용되었으며, 지휘봉처럼 지니던 홀은 아끼던 화살을 치장한 것이다. 활의 나라, 한국이 아니던가.

홀은 주술사 신물(지팡이, 비전인 바둑은 깊히 보관하고, 그 영묘한 신기를 표방하여 지녔다는 증표)을 손에 쥐어서 허공에서 휘젓기도 한다. 하늘 등 방위를 가르키고, 하늘의 기운을 휘두르는 모습을 보여준다. 곧 천지를

[그림 25-2]

잇는 우주 기둥이며, 왕권의 상징물이다. 후대엔 귀족층이나 전문가들의 수장도 자부심과 자랑으로 지녔다.

옛날부터 활쏘기를 할 때 각 궁수들이 5개의 화살에 자신들의 기호를 새겼다. 궁수들의 흩어진 화살을 모아서 나누려면 식별부호가 있어야 쉬이 찾는다. 그게 다른 놀이로 발전되어 산통이란 제비뽑기 또는 점술사의 도구로 첨통이 되었다.

일본에선 얇은 대나무 조각 50개를 손바닥에 움켜쥐고, 1개는 새끼손가락에 옮기곤 역경을 보았다. [그림 25-2] 미국과 남미의 인디언들도 윷놀이에 조각된 막대기를 사용하였다.

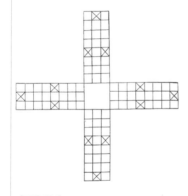
[그림 25-3]

인도의 힌두게임 파치시를 다시 보자. 네모로 사방으로 17칸이다. 17로 바둑에서 23로 바둑으로의 전이를 가르쳐준다. 나무나 상아로 만든 말이 4개며, 방위를 뜻하는 색깔을 지닌다. 빨강은 남, 초록은 동, 노랑은 중앙, 검정은 북으로 도합 8이다. 17에서 8을 더하면 25다. 서쪽을 뜻하는 흰색이 없어서, 검정과 함께 수를 빼면 23, 23로다. [그림 25-3] 말리브섬. 펜실바니아대학 고고학 박물관.

하양과 검정은 반대색이며 동일색이다. 무한히 뻗어나가며, 무한히 빠져든다. 받아들이는 것은 반대나, 무한한 시공간성은 같다. 같은 숙명이다. 삼원색은 검정이고, 삼원광은 하양이다.

160

한국의 순장바둑에 25 성점이 있다. 거기서도 두 대국자가 별 하나씩 따면 23로 바둑판이다. 한국동요에 너 별, 내 별, 딴다는 게 있다. 순장 25 화점을 고집한다면, 마음의 횃병인 심화(心火)를 다스리면 바둑의 수가 잘 보인다. 두 불을 껐으니, 23로 바둑으로 안내한다.

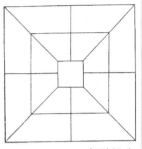

[그림 25-4]

서양의 메렐스 게임, 한국의 곤질고누, 중국의 삼기는 간단한 놀이다. [그림 25-4] 입체바둑을 단순도형으로 설명한다.

팽이치기도 바둑알 돌리기서 유래하였다.

손뼉치기인 수벽치기는 한국과 일본에서 오래전부터 놀이겸 운동이었는데, 고대 그리스나 이집트에서도 성행하였다.

여러 도형을 만드는 실뜨기는 바둑줄을 입체로 뜨는 놀이다.

"한국의 장기는 중국보다 우월하다."

영국 총영사관 월킨슨의 말이다.

일본 장기는 우리와 많이 다르다. 우리의 장기는 가로 9줄, 세로 10줄이다. 합쳐서 바둑의 한 곳 19로만 된다.

순장바둑을 설명할 때

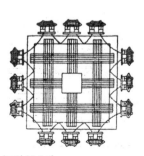

[그림 25-5-1]

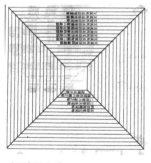

[그림 25-5-2]

홍연진결에 의존하며, 역경의 풀이도 덩달아 나온다. 기학정설에선 홍연진

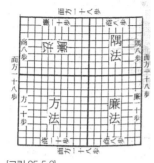

[그림 25-5-3]

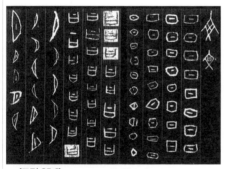

[그림 25-6]

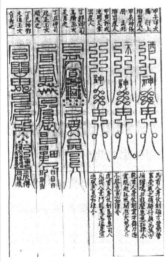

[그림 25-7]

결을 동국기문으로 명명하며 본격기문에서 제외시킨다. 한국의 선현들이 한국식으로 개조한 연유다. 동양철학이 주역에 근원을 두었다면 실로 기문둔갑법이 동양철학의 시조며 정수다. 중국 황제(黃帝)적부터 시발하여 6천년을 내려오는 비서라 한다. [그림 25-5] 바둑판의 다른 용도. 1은 9 큰 길, 2는 9 복(服), 3은 18보(步). [그림 25-6] 갑골문자의 일(日), 월(月), 왈(曰).

기문둔갑법(奇門遁甲法)의 달아날 둔은 개혁, 개벽, '새롭게 나오는' 것으로 보는게 타당하다. 귀신이 여우로 둔갑한다는 속된 표현이 아니다. 손자병법에서도 최상책이 36계 도망이라 하지 않는가. 승리를 위해선, 성공을 위해선 일단 도망가서 둔갑하여 새롭게 나와야 한다.

한문을 강조 변환시켜, 북두칠성 등의 별자리를 옮겨서 만드는 여러 부적은 주술사의 방편이다. 심신을 정갈히 하여 소원성취를 바라는 열망을 우주의 흐름에 띄우는 소박한 기도다. 황제부터 시작된 부적은 수천년이 지나서, 북위시대에 이르러 국가제도에 정식으로 편입되었다. 부록은 문자, 그림, 부호로 구성된다. [그림 25-7] 육정육갑 부적.

〈삼국연의〉에서 사마의가 공명을 두고 한 말이다. 조조는 환관의 손자였다.

"공명은 팔문둔갑에 밝고, 육정육갑의 귀신들을 잘 부린다. 이것은 틀림없이 육갑천서에 있는 축지법이니, 더 이상 쫓지마라."

축지법은 수천리 떨어진 먼 거리를 코 앞으로 끌어당긴다 함이니, 순간공간 이동이라 외계인의 기술이 아니고는 불가능하다.

황당무계한 중국의 무협소설은 외계인의 힘을 소설속 인물들에게 부여함으로 승화시켰다.

기학을 역경보다 더 어려운 책이라 일컫는데 간단한 소감으로 마친다. 주객(主客)은 동정(動靜)이 일정치 않아 불확정의 현상이다. 〈선동은 객이요, 후동은 주라, 동은 객이요, 정은 주가 된다〉 우주는 동정이 일정치 않아, 원인은 우주요, 결과는 지금의 내 자신이 된다.

기문삼중반은 상반에 9성으로, 중반에 8문으로(천원은 제외), 하반은 9궁으로, 성문궁이 서로 작용한 수많은 변천을 읽어서, 인간세상을 예언한다. 입체바둑에선 보다 세분되어 우주의 이치를 설한다.

천원이 곧 빅뱅의 흔적이라, 모든 문이 열리고 닫힌다. 8문에서 천문(天門)을 더하면 9문이다.

천원이 있는 복판은 1줄(면)로 천원반이고, 그 위로 5줄 중하반, 5줄 중상반, 경사각으로 6줄 상하반, 6줄 상상반이다. 상천원.

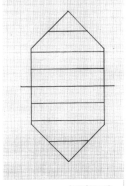

[그림 25-8]

천원반 밑으론 밑상반, 밑하반, 하상반, 하하반이 있다. 5, 5, 6, 6. 하천원. 연극무대 나누기를 입체식으로 간주하면 이해가 쉽다. [그림 25-8] 기문삼중반을 입체바둑판으로 나누었다.

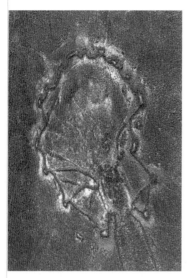

[그림 25-9]

거기서 벌어지는 바둑돌의 변화로 세상의 변화를 읽고, 별들의 빛을 간파해서 우주의 흐름을 읽는다. 그들은 입체바둑판형 경기장에서 입체연극을 하기도 하고, 입체야구도 한다. 중계는 입체바둑틀 그대로다. 중간 선들은 다 지워지고 중앙부분 천원면과 바깥면 선만 남겨진다. [그림 25-9] 요르단 선사시대 유적지. 중동지역에서 800여 개 중의 하나인, 가젤 등을 잡는 덫.

1920년대 영국비행사가 발견하고 명명한 '사막연'이다. (desert kite) UFO를 부르는 부호이기도 하며, 외계인 별의 '해파리 풍선 나비' 모양이다.

26 경

* 사람도 섞이고, 믿음도 섞이고, 별도 섞인다 *

외계인의 적손, 진성 섞은이가 가장 많은 곳이 한국이다. 바둑도 잘 두고, 많이들 두고, 무엇보다 즐기는 민족으로 가장 외계인적이다. 바둑 두는 사람의 마음가짐을 바르게 하는 10훈, 즉 위기십결에서 2번째 입계의완, 경계를 넘어설 때는 느슨하게 하라.

한국에서 노랑머리의 미라도 발견되고, 가야국 시조의 부인도 인도인이다. 이스라엘인이 일본으로 옮기는 것도 고향에 돌아가기 위한 징검다리다.

이스라엘 솔로몬 왕의 아들이 왕위에 오르면서 남북으로 갈렸다. 남은 2지파, 북은 12지파로 갈렸다.

기원전 722년에 앗시리아의 침공으로 멸망하곤, 그 12지파는 역사의 뒤안길로 사라졌다. 행방이 묘연하다고 죽은 건 아니다. 그들의 약속의 땅으로, 고향별을 의미하는 곳으로 이주하였다. 목적지는 같았으나 가는 길은 다 달랐다. 그래서 다른 한 분파를 이룬다.한국 족보의 이천 서씨 사유공파 중의 경주파처럼, 고향별 해석에 따라서 도착지도 다 달랐다.

오랜 세월동안 수호신으로 마을 어귀에 서있는 한국의 장승, 솟대, 돌

[그림 26-1]

하르방도 외계인 선조의 힘을 빌려 외부의 적에게 경고하여 침입을 막는 그들의 안녕을 비는 수단이었다. [그림 26-1] 일종의 모방주술이다. 닮은 것은 닮은 것을 부른다. 동양에선 사람의 몸에서 어디가 아프면, 거기에 상응하는 소 등의 부위를 먹는다. 간이 나쁘면 소의 간을 먹고, 정력을 위해선 해구신을 먹는다. 중국에선 온전치 못한 시신을 묻을 때, 옥으로 만든 팔다리를 붙여 함께 묻는다.

불이 변화의 시작이다. 발화법에는 종류가 많다. 동물이 비비면 물이 나오지만, 마른 나무들을 비빈다. 가장 정교한 방식은 인도와 보루네오의 발화펌프다. 나무 실린더와 그 속에 꼭 맞게 끼워진 나무 피스톤이다. 남녀교합처럼 피스톤을 상하로 움직임으로써 부싯깃이 압축되어 불꽃이 생긴다.

불씨를 챙기는게 가장 중요한 일의 하나였다. 바둑이 뭔지도 모르는 부족이라도, 그들의 베게는 바둑판의 변형이며, 의자는 바로 활용이었

[그림 26-2]

다. 큰 부족의 제사장에겐 바둑의 뜻이 이어졌지만, 오지로 나간 무리에겐 뜻은 자연스레 멀어지고, 도구로만 사용되었다. [그림 26-2] 서아프리카에선 색깔을 배합하는 팔레트로 쓰였다.

최초의 음악은 인간의 목소리다. 미개인의 노래는 완벽한 단(單)선율이다. 사람마다 음역이 달라서 복(複)선율로 들릴 뿐이다. 휘파람이 화음

의 효시라면 최초의 악기는 인간의 입술이다. 다음의 악기는 제 몸을 두드리는 것이며, 최후의 악기는 상대의 몸에서 나는 소리다. 오르가즘의 희열에서 수반되는 영원갈구로, 성교가 죽음을 부른다고 피하는 원시 종족이 있듯이.

음악은 외계인의 영혼을 모방함으로 달콤한 쾌감을 얻는다. 서로의 영혼을 섞음으로 회전하며 나눔을 공유한다. 집단 구성원의 결합에 기여한다.

[그림 26-3]

북미 호피 인디언의 그림. [그림 26-3] 주술사가 위에 있고, 바닥에 바둑판이 있다.

북미 푸에블로 인디언 가면. [그림 26-4]

[그림 26-4]

[그림 26-5]

" 가면은 귀중품이라 항아리에 잘 넣어 보관한다. 필히 음식물을 바쳐서 배알한다."

기원전 3000년 경. 고대 그리스 사이클리드 제도에서 숭배되던 흰 대리석 우상이다. 긴 두상에 코만 있다. 눈 없어도 보고, 입 없어도 먹고, 귀 없어도 듣기에 지구에서 호흡만 필요했단 말인가. [그림 26-5] 후대에 예수의 얼굴이 긴 두상으로 자주 그려진다.

기원전 3000년경. 키프로스섬. 루불박물관 소장품. [그림 26-6] 풍요여신. 입을 구멍 3개로 만들어 얼굴부분 9성

[그림 26-6]

이고, 가슴에 3, 5, 5, 3, 3으로 19성이다. 가로줄과 세로줄이 많다. 몸도 바둑판처럼 사각이다.

기원전 700년경. 그리스 베오티. [그림 26-7] 여인의 조그만 유방 사이에 UFO가 있다. 무엇을 애타게 기다리느랴, 긴 목일까.

기원전 2270년경 아키드 왕, 나람 신의 비석이다. [그림 26-8] 쌍무지개는 있어도 쌍태양은 없다. 하나는 UFO다.

기원전 8세기 경, 집정관 이메네미네트의 관, 안쪽이다. 그림을 거꾸로 한다. 세워진 성기를 주목하자. 새가 정액을 날라다 준다. 외부에서의 이식을 뜻한다. [그림 26-9]

[그림 26-7]

[그림 26-8]

인도 15세기 자이나교의 그림. 〈다섯 개 불의 고행〉 [그림 26-10] 네 모서리에 네 불꽃이 피어있고, 중앙에 2개의 원형 불꽃이 있다. 하나는 태양이고, 하나는 UFO다.

이슬람은 가장

[그림 26-10]

[그림 26-9]

바둑을 돋보이게 한다. 궁전이나 사원은 중앙에 커다란 천원(天元, 原, 圓)을 중심으로 뻗어나간다. 옆으로 성점(星點), 성원 (聖圓)

이 따른다.

[그림 26-11] 가로 19줄, 세로 22줄 바둑판 문양에 3명의 십자군 기사가 2사제에게 잡혔다. 바둑판 색깔과 똑같다. 피라밋 내부벽에도 훼손된 같은 문양이 많다. 바둑판을 통한 인체의 프로필 기법이다. [그림 26-12]

[그림 26-11]

[그림 26-13] 사하라 사막 근처. 알제리에 있는 암벽화다. 1만년 전. [그림 26-14] 일명 '화성인' 이라 불렸던 타실리 암벽화. [그림 26-15] 그레이트 짐바브웨에서 발굴된 활석 조각상. 바둑판 무늬다. 그레이트 인클로저 구조물은 타원형이다. [그림 26-16] 서아프리카 다호메서 출토된 목각

[그림 26-13]

[그림 26-12]

상. 로켓같은 날개달린 우주복이다.

[그림 26-14]

[그림26-15]

[그림 26-16]

27 경

* 진리는 처음에 있다 *

13세기. 이슬람 기술지 알 지자리는 〈놀라운 기계장치에 대한 책〉을 썼다. 후대 과학자들이 재현하였다.

노아의 방주에 큰 동물들을 직접 다 싣지않았다. UFO에 깨어있는 인간들을 태우는 경우는 거의 없었다. 특별한 제사장에겐 UFO 내부와 그들의 고향별 자료를 보여주었다. 그외 인간들은 수면인 상태로 UFO에 실려서 낯선 곳에 내려졌다.

독일의 한 시골마을 주민들 전체가 오랜 여행끝에 다른 시골에 이주하여 전통을 이어가며 자급자족으로 살아갔다. 외부와는 100년 동안이나 단절되었다. 그런데 이게 웬 일인가. 낯선 이들이 찾아와선 낯선 말을 한 게 스페인어다. 알고보니 그들은 남미 베네수엘라 오지에 격리되어 있었다. 독일 정부에서 계획을 세워서 실행하였는데, 연락이 단절되었던 까닭에 100년이란 고독을 타의로 겪었다.

아마존 전설은 오래전부터 그리스에 있었다. 기원전 8세기 호메루스의 서사시 〈일리아스〉다.

"남자들 처럼 전쟁에 참여하는 부족."

170

헤라클레스는 그들의 여왕을 살해하고, 여전사들을 생포하여 강제로 데려왔다.

기원전 5세기 역사학자 헤르도토스는 그의 〈역사〉에서 언급하였다.

"돌아오던 아마존 여전사들이 반란을 일으켜 러시아로 도망쳤다. 여기서 낳은 아이들이 사우로마타이 족이다."

러시아 남부에 있다.

서기 400년경. 의례용 권표인 팽이 홀을 쥐고있는 제사장. [그림 27-1] 페루 해안의 출토품.

[그림 27-1]

마야 티칼. [그림 27-2] 우아한 손모양의 여인이 통치자와 얘기를 하고 있다. 옥구슬이다.

[그림 27-3]

페루 파라카스 출토 직물에 표현된 제사장. [그림 27-3] 한국 민화의 호랑이처럼 익살스럽다. 비록 희생물을 쥐고 있지만. 500년경 출토된 토기다. [그림 27-4] 피임하며 즐기는 남녀라 했는데, 오럴 섹스, 사실 성고문은 아닐까. 14세기 유럽에서는 마녀 사냥을 위해서, 악마와 성교를 한다는 여인의 그림을 배포하였다. [그림 27-5]

[그림 27-2]

[그림 27-4]

[그림 27-5]

지금까지 850억 사람들이 죽었다. 그중에 얼마만큼 뜻대로 살다가 죽었을까.

인해전술. 중국의 전쟁에서 군인들을 앞장 세울 때, 불복하면 극악무도하게 처형한다. 죽음보다 더한 고통을 준다. 물고기들이 모여다니는 것도 전체의 안전을 위해서다. 부분의 희생이 따르더라도, 다 저희들은 안전하리라 믿기 때문이다. 전세계서 자행된 궁행도 참혹스러웠다. 사형은 고통을 더욱 길게 하기 위해서 온갖 방법을 다 쓰며, 본보기를 보여주며 전체 집단을 안전하게 유지하였다.

[그림 27-6]

쿠스코 태양신전은 에스파냐 정복자에 의해 완전히 해체되었다. 쿠스코의 석공기술은 세계 최고였다. 외계인의 전수였다. 사라졌던 마야문명이 천년이 지나서 멕시코 유카탄반도에서 다시 등장한다던지, 몬테알반 등 아즈텍 이전의 많은 고대 아메리카 토착민들이 살던 도시를 버리고 사라지는건 외계인의 주문이다. 자연스럽게 그들의 인류역사 짜맞추기다.

침략과 파괴의 인류 역사도 자연의 한 형태임을 알고있었다.

'우주선을 타고가는 모습' 폰 데니켄의 주장이다. [그림 27-6] 팔랑케에 있는 비명의 신전에 있는 파칼 왕 석관조각이다.

기원전 6천년경. 서남아시아 예리코 조각상. [그림 27-7] 눈구멍에 조개껍질을 넣어서, 아래로 퍼지는 시각적 효과, 멀리서 온 이라는 의미를 풍긴다.

기원전 이라크 텔 브락신전 유물. [그림 27-8] 아기를 안고있는 외계인, 마음의 눈일까.

[그림 27-7]

흑해 위 메치리히서 1만 5천년전에 세워진 매머드 뼈 가옥을 발견하였다. [그림 27-9] 상하가 바뀐 턱뼈가 다른 턱뼈 아래로 삽입되어, 내부 중앙에 놓여있었다. 표면에 붉은 선과 점이 그려져 있다. 최초의 바둑판 그림이다.

'태극. 양의. 사상. 팔괘.'

태극은 큰 한 원이라 모든걸 담는다. 조그만 티끌에서부터 전체의 우주까지. 양의에서 의(儀)는 모양이라, 2개의 모양이다. 백돌, 흑돌의 구분도 되고,

[그림 27-8]

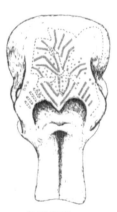

[그림 27-9]

한 획과 두 획으로 구분한다. 동서고금을 막론하고, 한 획은 남자를 상징하고, 두 획은 여자를 상징한다.

사상에서 상(象)은 코끼리라, 4개의 코끼리코다. 긴 획과 짧은 획으로 구분한다. 태음, 태양, 소음, 소양으로 인간의 체질을 나누기도 한다. 코끼리 콧구멍으로도 해석이 가능하다. 바둑알로 나타내면 흑돌은 태음(그믐달), 백돌

[그림 27-10]

은 태양(보름달), 우측 반달(늙은 흑돌, 음), 좌측 반달(늙은 백돌, 양)이다. [그림 27-10] 1660년 란드레이 셀라리의 태양 우주도의 판화로도 설명이 된다.

팔괘의 괘(卦)는 8개의 점괘라 고대 방법을 유지한 채, 현대 방법을 도입하는게 순리라 본다. 체스판의 우주론은 바둑판의 일부이다. 판은 28개의 사각형으로 둘러쌓여 있다. 달 운행의 28수다. [그림 27-11]

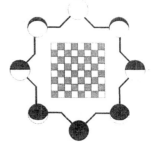

[그림 27-11]

$$1 + 2 + 3 + 4 + 5 + 6 + 7 = 28 = 1 + 2 + 4 + 7 + 14$$

2개의 원으로 만물의 이치를 설명한다. 동일한 2 원으로 8개의 상이한 상호관계가 나온다. [그림 27-12] 분리, 접근, 중첩, 침투, 통합, 공제, 교차, 합치다. 각 원의 색깔을 달리하면 이해가 쉽다. 그 8 모양에서 에너지 파동을

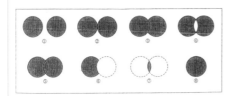

[그림 27-12]

볼 수 있다.

진보하는 음양 8괘와 입체바둑의 활용에도 적용된다. 역경도 진동이고, UFO 도 진동이다. 6획을 원주로써 파동으로 적용하면 보다 다양하다. 그 원주에 색을 입히고, 색마저 변환시키면 점괘가 무한대다.

174

28경

* 하늘도 움직이고, 땅도 움직이고, 사람도 움직인다 *

마이아미와 플로리다 키즈 사이에 있는 코랄 캐
슬이다. [그림 28-1] 필자처럼 폐결핵을 앓았던 에
드 리즈칼닌은 1.5미터의 키에 45킬로그램이었다.
28년동안 도르래를 움직여서 조용한 밤에 혼자만
의 힘으로 거대한 돌조각 공원을 만들었다. 단지
손으로 만든 공구만 사용하였다.

[그림 28-1]

한 오벨리스크 돌은 28톤이고, 스톤핸지의 큰 돌
(great upright)보다 키가 더 컸다. 한 탑은 4~9톤의
블록으로 243톤의 산호 바위로 이루어졌다. 각각의 돌 평균 무게는 이집
트 대 피라밋에 사용된 돌보다 더 무거웠다.

9톤인 투박한 문은 어린 아이의 손으로도 열 수 있게 되어있다. 완벽한
균형이다.

한 조각물은 항상 북극성의 작은 곰자리를 가리키며, 높이는 7.5미터
무게는 25톤이다. 그것은 태양을 도는 지구의 항로를 그려주었고, 또한
하지, 동지, 춘분을 가리키는 해시계를 만들수 있게 하였다. 1년에 1~2분

의 오차라 쉽게 수정할 수 있도록 되어있다.

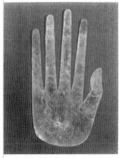
[그림 28-2]

천체조형물은 18톤 화성과 토성 등 다양하다. 총 11,000톤이 넘는다. 2.4미터의 담장을 쳐서 아무도 그의 작업을 못보게 하였다. 그는 외계인의 실재를 인정하였다.

"돌 앞에서 노래를 불렀다. 그러자 돌들이 가벼워져 춤을 췄다."

반(反)중력을 이용했다는 등 소문만 무성하였다.

기원전 200년경. 오하이오주 호프웰의 운모판 장식품. [그림 28-2] 외계인 손, 모방이다.

[그림 28-3]

미시시피 샤먼의 그림. 조가비 목장식품. [그림 28-3] 왼손에 쥐고있는 의례용 권표위에 삼위일체 산(山)이 보인다.

일리노이주 아시아어로 '카호키아'에는 몽크스 마운드가 있다. 그 부족이 사라져, 명칭도 승려언덕으로 불린다. 신성한 피라밋 하단은 이집트 대 피라밋보다 더 크다. '태양의 도시' 선사시대 건축천문학의 발상지다. 목제 태양달력도 있으며, 마야의 '날개달린 뱀'과 비슷한 새모습을 한 제사장이 있었다.

보스톤에서 차로 1시간 거리인 뉴 햄프셔에는 '미스터리 언덕' 아메리카 스톤핸지가 있다. 바위로 조각된 침대, 벽난로와 굴뚝이 있다. '말하는 관'이란 구멍이 침대에서 지면으로 올라와 4.5톤의 바위 아래로 지나가며 이상한 소리를 낸다. UFO와의 통신수단이 아닐까. 이집트 대 피라밋 의문의 석관을 손가락으로 두드려도 맑게 울린다. 영혼의 교감이다. 입구가 발견되지 않은 천연동굴이다. 동굴 밖 우물에는 수정 덩어리가 발견되었다.

6월 21일, 하지 일출 거석과 기원전 1750년경 용자리서 가장 밝은 별인 북극성과 일치하도록 배열된 정북석이란 큰바위가 있다.

그 유적은 사기라고 매도한 사람도 있었다. 탄소연대 측정결과는 4천년전이였다. 켈트족의 오감어로 된 비문에는그들의 태양신을 언급하고 있다. 청동기시대에, 콜롬버스 훨씬 전에 유럽에서 이주하였다는 걸 암시한다. 실제는 소금호수에서 이주한 부족이 먼저 정착하였다. 나중에 그들이 합류하였다.

전체 그림으론 전지구적 외계인 후손들의 만남이었다. 그 그림도 외계인에 의해 그려진 것이다. 늘 역사의 공백은 그들이 메꾸었다. 오랜 세월로 선진 지식이 끊기더라도 이어주고 전파하였다.

뉴멕시코에 1만년 전 이상의 원주민 터와 아리조나 세도나처럼 기에너지가 강한 곳이 있다. 인근에 UFO가 추락한 로스웰기지도 있다. '문명의 요람' 이란 차코협곡에는 돌로 지은 '그레이트 하우스' 들이 많다.

(캐나다 토론토 남쪽에는 인디언들의 다가구 목조건물인 롱하우스가 있다. 필자가 직접 커다란 맷돌을 보았다)

가장 큰 푸에블로 보니트는 600개이상의 방이 있다. [그림 28-4] 넓은 원형방에서 의식을

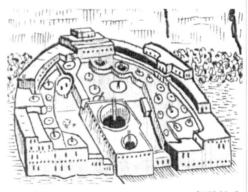

[그림 28-4]

거행하는 관습은 호피 인디언과 같다.

푸에블로 인디언은 마야족과 무역, 종교적 접촉을 하였다. 항공사진으로 650킬로미터가 넘는 도로들의 모습이 드러났다. 가장 활발한 시기가 1,020년경이라 앙코르와 맞물린다.

하지를 관찰할 수 있는 특별한 창문도 있고, 양력과 음력에 따르는 배열로 이루어진 건물이다. 사람들은 1250년경 사라졌다. 앙코르와 비슷한 시기의 실종이다.

태평양 키리비티 제도의 몰덴 섬에는 거대한 피라밋과 1,620킬로미터의 고대 포장도로가 있다. 외부와 수천킬로미터 떨어졌고, 난 마돌과는 5,475킬로미터다.

와이오밍주에는 빅혼 메디슨 바퀴(big horn medicine wheel) 가 있다. 28

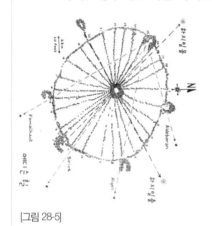

[그림 28-5]

개의 울퉁불퉁한 바퀴살 모양이 외륜으로 연결된다. 28은 음력의 주기다. [그림 28-5] 가운데 돌무더기는 1미터의 높이며, 천원이다. 각각의 살(선)은 약 11미터, 외륜은 직경이 24미터, 원주는 78미터다. 외륜 주위는 0.5미터 높이로 한 면이 열린 작은 돌무더기가 있다. 6개다. 원은 생명의 순환을 의미한다.

고서 홍연진결의 기국해다.

" 동방 청용 7수, 남방 주작 7수, 서방 백호 7수, 북방 현무 7수라, 28 수의 별을 나타낸다."

볼리비아 수도 라파스에서 북쪽으로 가면 페루와 공유하는 티티카카

호수에선 잉카 시대 이전의 토착민에게 내려오는 전설이 있다. 신 비라코차는 인간을 창조하기 위해 호수에서 일어나 티아우아나코로 갔다. 그는 하얀 피부에 키가 컸다.

호수바닥에 궁전이 잠겨있다는 소문도 있다.

"바다 위를 걸어서 서쪽으로 사라졌다."

초기의 비라코차 사람들은 신기하게도 얼마 안되어 사라졌다. 바로 이스터섬으로 갔다. 하얀 피부의 '긴 귀'였다.

태양을 따라서 고향별로 가는 여정이었다. '하얀 피부'가 늘 백인을 지칭하지 않는다. 호주 원주민의 오래된 기록에는 베이징인을 가리켜 '하얀 피부'라 불렀다. 하얀 피부는 상대적이다.

악바르대왕이 인도 중앙에 있는 파테푸르 시크리로 무굴의 수도를 옮겼다. 1570~1586년. 웅장한 도시를 짓곤 갑자기 다른 곳으로 옮겼다. 다른 이유가 없이 그 도시를 비웠다. 16년이다. 16 = 4 × 4. 144! 인도와 서유럽에선 16이라는 숫자에 철학적 요소를 부여하였다.

그가 말년에 한 말이다.

"나는 지식이 늘어가면서 수치심에 억눌렸다. 기적은 모든 신념을 지닌 신전에 있다."

외계인의 가르침에 순순히 복종하였다.

"태양을 따라라!"

남회귀선 23도 근방에 이스터가, 북회귀선 23도에 요나구니가 있다. 태양의 길이다.

29 경

*** 춤은 몸의 흐느낌이며, 마음의 벗어남이다.
음악은 양성적이다 ***

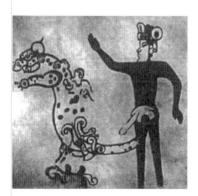

[그림 29-1]

중앙 아메리카에 '고무인간' 이란 올멕의 유적이 있다. [그림 29-1] 옥 성기와 옥 가면을 한 환관이 제례를 치루는 동굴 벽화. 마야의 선조라 하지만, 한 분파이기도 하다. 기원전 3500년경.

마법의 버섯과 다른 기구들을 사용하는 샤먼적 주술사다. '깃털뱀' 위에 앉아있다. [그림 29-2] 라벤타

기념비. 신비로운 가방안에 든건 비전의 바둑용품이다.

아즈텍과 나우나틀 신화에서, 네번째 세계의 끝과 5번째 세계의 시작에 신들이 모였다.

고대 우주인 작가 시친의 기록이다.

"밤이었다. 낮이 아니어도, 모든 빛이 없었더라

[그림 29-2]

180

도, 신들은 물의 도시 테오티우아칸에서 화합하였다. 거대한 피라밋 주
위로 인공호수를 만들었다. 인공 수로로 물을 끌어와, 피라밋에 파도로
장식하였다. 달밤에 호수위로 뜬 피라밋의 호흡이 얼마나 아름답고 경이
로운가. 우주가 어둠에서, 죽음에서 다시 살아난다. (해안에서 수백 km 떨
어진 곳이다.) 물은 달의 피라밋에서 시작하여 태양의 피라밋으로 연결되
었다. 브라질에서 발견되는 운모인 실리콘이 태양 피라밋 아래에 있다.
그 절연체를 둔 이유가 무엇일까."

올멕의 전성기는 기원전 800~500년경이다. 거대 두
상중에 60톤짜리도 있다. 앙코르 사원의 예술품과 비
슷하다.

퀴즈오; 이집트, 인도, 중국, 태평양 섬들, 전세계적
으로 인물상에서 드러나는 특징으로 무릎을 꿇는 자
세이다.

중국 상왕조의 조각상. [그림 29-3] 퀴즈오, 한국말과
같다. 꿇오! 올멕의 인물들이 누구에게 복종하는가. 바

[그림 29-3]

로 외계인 선조다. [그
림 29-4] 4600년전.기도
하는 수메르인과 큰 눈
조각상. 이라크박물관.
큰 눈도 복종의 의미다.

한국식으로 앉은 모
습도 많다. [그림 29-5]
이집트에서도 보인다.

[그림 29-4]

[그림 29-5]

[그림 29-6]

[그림 29-7]

행복한 중국인 얼굴이다. [그림 29-6] 거세된 아기환관 도자기다. [그림 29-7] 많은 조각에서 남자의 상징이 없다. 제거되던 고통이 조각으로 드러났다. 거대한 두상으로 뚱한 얼굴이 즐비하다. [그림 29-8] 대영박물관에 있는 V 자 모양 옥조각 머리. 아프리카인이다. 거대 두상들은 거의 아프리카인이다.

'담배를 피는' 아프리카 밀린케 말은, 'dyamba' 'dyembo', '다이암바', '뎀바' 다. 한국말로 담

[그림 29-8]

배다. 흑인들은 UFO를 타고왔다. 아프리카에서 사냥꾼에 잡혀 미국으로 끌려와 노예로 팔렸던거 하곤 질적으로 다르다. 그들은 1척에 밀착으로 600명이나 실어, 배가 도착하면 상당수가 죽었다. 상품 유실로 처리했다.

두 마리의 꼬인 뱀이 이집트, 마야에서 보이듯 올멕에서도 마찬가지다. 깃털달린 뱀 케차코아틀도 그렇다.

"올멕의 매장지에 기하학적 형태로 다듬어진 남자의 유해가 발견되었다. 환각제 도구들도 보였다. 의식을 치르는데 사용되었을 이국적인 물건들이 함께 묻혀있었다."

두개골을 변형시키는건 아프리카와 고대 가야에서도 있었다. 이마를 눌러서 긴 머리로 만들었다. 외계인의 긴 머리와 긴 귀를 본뜬다. 1,930

년 콩고에선 변형된 긴 머리가 여전히 건재하였다.

올멕에선 특이하게도 정수리에 V 를 시도하였다. 인간구조 해부학상으로 불가능하지만, 조각상에는 나타난다. 골상학, 골두상학을 넘어서 뇌상학(腦狀學)을 알고있었다. 소우주 인체에서 특히 (좌뇌, 우뇌 사이의 검은 골) 뇌의 중간지점에서의 진동파를 연구하였다. 그 지점이 V 다. 또한 은하계 중심의 암흑지점에 해당된다. 그리고 산(山)을 뒤집는 숨은 의미도 있다.

북미 인디언 무덤에는 7구의 거인 해골이 머리부터 박혀있었다. 해골의 이마는 뒤로 밀려있었으며, 팽팽한 머리와 원추형 머리였다. [그림 29-9] 기원전 400년경. 페루 파라카스 유적지에서 나온 귀족 남성들의 두개골.

[그림 29-9]

지중해 몰타섬에서 접합선이 없는 길게 늘인 두개골이 고대 지하 신전에서 발견되었다. 기원전 4천년부터 이어지는 7천 개의 해골이 갈아플리에니 히포게움에서 발견되었다.

생식기가 없이 앉아서 오줌누는 환관들, 외계인이 지구인을 발전시켰지만, 한편으로 의료행위 구실로 실험용 동물처럼 처리했다.

외계인은 양성이다. 지구인은 단성이다. 단성인의 사회적 유기관계를 살폈다. 무성인의 반응은 더더욱 궁금하다.

사회성이 단성에서 자율이라면, 무성으로 타율이라면 역기능이 되는지, 무기능이 되는지 관찰해서 무성자를 만들었다. 양성인 그들과 마찬가지란 결론을 내리곤, 그 지역을 떠났다. 그래서 올멕인은 자연스레 마야인에 흡수되었다.

그들은 그 시술전에 희생물에 예의를 갖춰 존경심도 보였다. 그들도 아픔을 알고 이해한다. 그것으로 희생자들의 넋도 달랬다지만, 정말 그럴까. 원시사회든 문명사회든 희생물에 감사를 드린다.

[그림 29-10]

앙코르와트 신전이 넝쿨나무로 훼손된다지만, 그 나무가 없었다면 사람에 의해서 더 훼손되었을 것이다. 그렇다면 그 넝쿨을 어떻게 봐야 하는가. 그 외계인을 어떻게 봐야 하는가.

천공은 뇌수술을 의미한다. 그래서 새 삶을 얻은 사람도 많다. 한국인 갓, 인도인 터번 등 모자를 쓰는건 긴 머리를 표시한다. [그림 29-10] 여인의 발은 중국처럼 전족을 하였다. 아이의 이마를 눌리는건 가야인의 모습이다.

[그림 29-11]

동굴 신성소의 채색벽화. [그림 29-11] 팔에 부메랑이다. 고향별로 돌아간다는 뜻이다.

[그림 29-12]

올멕 문자는 아직 해독이 안된다. [그림 29-12] 몽고에서부터 서프랑스에 이르기까지 훈족 시대의 묘를 발굴하면 사진에서 처럼 두상이 변형되어 있었다.

30 경

밀 밭의 외계인. 밀 밭의 만다라. 밀 밭의 주시자

아일랜드 뉴 그레인지(new grange) 지명에 곡물(grain)이 들어있다. 기원전 2천년에 비커족이 만들었다. 지중해 몰타섬에 기원전 3600년경 신전을 세운 그들이다. 거대 거석을 자유자재로 다루는 기술자다. 외계인이 교육시켰기에 시공간을 뛰어넘어서 출현한다.

후대엔 켈트족 지역이다. '망각의 음료'를 만들어서, 인간들의 기억에서 특정한 사고를 지울 수 있었다. 드라이드교 신자들은 홀을 지니고 다녔다. 64개월 청동 달력

[그림 30-1]

이 남아있다. [그림 30-1] 실라나기그스(sheela-na-gigs) 돌부조상 여인은 자신의 손가락으로 길고 깊게 패인 음문을 연다. 섞임을 말한다. [그림 30-1] 400년경. 페루의 토기의 여인에서 외계인과의 섞음을 본다.

남한의 진도 위치로 비교되는, 아일랜드 서남해안 스켈리그 마이클 섬

은 피라밋 형태다. 첫 눈에 바다에 떠있는 산(山)이다.

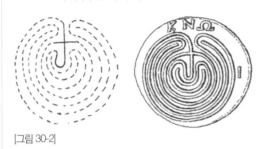

[그림 30-2]

런던 서쪽 스톤핸지 근교 북쪽 에이브베리에 수천년전 손으로 만든 커다란 흙무덤이 있다. 상상을 초월한다. 40미터 높이에 직경이 165미터 이상인 실베리 언덕은 임신한 여인의 자궁을 묘사한다. 2개의 강력한 기에너지 선(우주적 직선, ray line)이 언덕의 아랫 부분을 지나간다. 바로 그 근처 햄프셔에 처음으로 곡물 원이 생겼다.

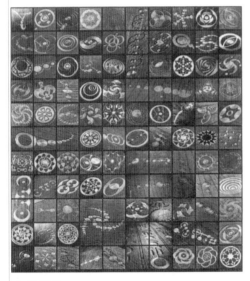

[그림 30-3]

영국 남서부 햄프셔(켈트족 활동지역), 미국 북동부 뉴 햄프셔, 고대 유적지가 있는 곳이다. [그림 30-2] 영국 글래스턴베리의 바위에 새겨진 나선형 미로와 고대 크레타섬의 주화다.

crop circle, 미스터리 써클이라 부른다. 하룻밤 사이에 멀쩡한 밀 밭에 기하학적 도형이 생겨났다. 인간의 작품이라기엔 너무나 신비한 무늬였다. 1946년에 처음 나타났고, 1972년까진 공백이 있었다. 부처님 탄생 3천년째가 그 때라서, 불경에서 말하는 3천년에 한번 꽃피우는 '우담바라' 라는 사람도 있다.

186

그 뒤로 쏟아진 밀 밭의 만다라가 이젠 3천 개가 넘는다. [그림 30-3]

실제 외계인이 직접 만든게 아니다. 말하는 길은 페루의 나스카와 같지만 말하는 의도는 다르다.

* 3,000 × 5 = 15,000 *

지구인이 섞은지가 1만 5천년이다. 외계인이 섞은지가 1만 5천년이다.

〈만다라 = 완성의 원 = 외계인의 선물, 바퀴!〉

거기에는 물리적 힘과 정신적 힘이 담겨있다. 곡물원은 우주학적 설명이 내재되어 있고, 하늘의 구름을 지상에 펼친 정신학적 예술작품이기도 하다. 남인도 여인은 아침에 일어나면 쌀가루로 땅바닥에 기하학 그림을 그린다. 콜람이란 전통이다.

보자. 사하라 사막을! 사하라 사막의 모래가 바람에 날리어 아마존을 살찌우는건 사실이다. 그렇지만 선조의 기념물을 모래에 파묻힐 순 없지 않는가. 그 경고를 직접 할 것인가. 대체 경고가 밀 밭의 만다라. 우회적인 표현이다.

고비 사막을 보자. 그 곳은 최초의 천국이었다. 지금은 어떤가. 그곳에 밀 밭이 서기를 바란다.

여성이 남성보다 완벽한 사람에 가깝다. 한국의 건강새김표에는 손, 발이 온 몸을 축약한걸 보여준다. 발의 지압술이 뛰어나다. 귀에도 투영된다. 외계인들의 한 신화다.

"처음 사람의 그걸 떼어내서 장난꾸러기의 그것을 막아버렸다. 떼어진 사람은 여자로 별 탈없는 사람이나, 막혀진 사람은 길이 막힌 남자라 못하는게 많았다. 그들이 지구인이다. "

인체를 소우주로 보면, 인체로 큰 얼굴도 그려진다. 2개의 유두는 마음의 눈이고, 배꼽은 우주의 코이며, 생식기는 입이다. 그래서 남자는 속도 좁고, 제대로 먹을 줄도 모른다는 유머다.

스페인 북서쪽은 갈라시아 지역이다. 스톤헨지와 까르나크와 유사한 고인돌이 있다. 초기 성지순례지였다. 은하수를 통해, 대륙의 가장 서쪽이며, 수많은 UFO 가 관찰되었다.

성경에서 기원후 40년, 사도 요한이 복음을 전파하기 위해 최대한 멀리 서쪽으로 간 지점이다. 플라톤이 언급한, 사라진 아틀란티스는 스페인 남서쪽에 묻혀 있다.

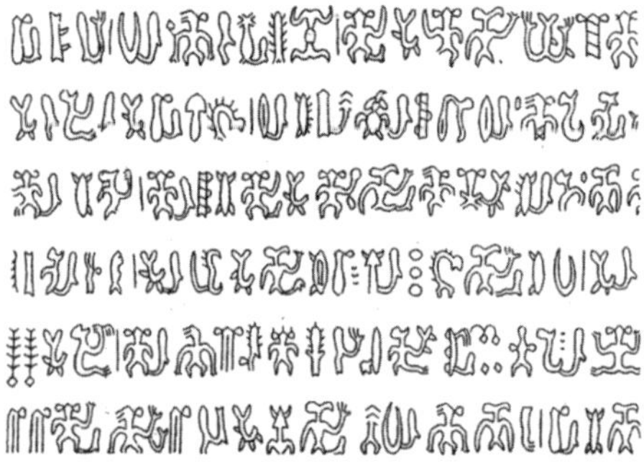

난 마돌에선 산(山)을 '추크' 라 한다. 바둑 용어 '축' 이다. 만리장성같은 축을 몰 수도 있다.

[그림 30-4]

그게 흑백 상접일 수도 있다. 한쪽은 잡아먹으려고 다른쪽은 도망가지만, 남녀 상접이기도 하다. 서로 반발적이기도 하며, 동시에 수용적이기도 하다. [그림 30-4] 생식기같은 롱고롱고 문자다.

한국어도 성에 솔직하다. 따뜻한 배든, 요동치는 배든 다 타려한다. 남녀 역사는 밤에 까탈스럽게 이루어지듯, 까다로운 가시 투성이 갑옷을 벗겨야 두 쪽이 든 밤을 획득한다. 눈이 맑으면, 하얀 눈처럼 아름답다.

바둑 고어 바독은 '바라보는 돌' 이다. 〈만다라〉 바깥 선을 따라서 한 바퀴 도는,

현대의 19로 바둑은 2차원 공간이다. 18 × 4 = 72

외계인 23로 바둑은 3차원 공간이다. $23 \times 3 + 3 = 72$

옛날 17로 바둑은 4차원 시공간이다. $17 \times 4 + 4 = 72$

알파벳 자음이 17개다. 수메르에선 신에게 17마리 황소를 바쳤다. 노아의 홍수는 둘째달 17일에 시작되어, 다섯째달 17일에 끝났다. 마태복음에 나온다. 인간이 7번 제련되어, 그에 따른 보답으로 10을 얻어서 총 17이 된다. 아우구스티누스는 17에 특별한 애착을 보였다. 구약성서 시편 17장 17절이다.

"높은 곳에 거하신 여호와께서 손을 뻗어, 나를 잡으시어 큰 물에서 꺼집어 내시도다. "

$17 + 23 = 40$. 이스라엘 민족은 40년동안 사막에서 방랑하였고, 모세가 십계명을 받기위해 시나이산에서 40일을 머물렀다. 예수가 사막을 40일에 횡단하였고, 무덤에서 안식을 취한 시간도 40시간이다. 부활하여 40일을 머물렀다.

바벨탑을 건설할 때 72개의 언어가 생성되었으며, 72개의 나라가 존재했다.

31 경

"만물은 유전 변화의 상태에 있다."

그리스 철학자 헤라클레이토스는 역설하였다.

섞인이를 암시한다.

[그림 31-1]

서기전 9천년경. 요르단 유적지 출토품. [그림 31-1] 미래에서 온 사람들 같지않은가.

콜럼버스는 마이아미 인근을 한국으로 생각하였다. [그림 31-2] 미국 동부 해안과 극동 아시아 해안. 버뮤다 삼각지와 일본 삼각지가 동쪽에 펼쳐진다. 외계인이 왜 마이아미 돌조각공원에 관여했을까. 실마리를 풀려면, 거기서 시작되어야한다.

1474년에 제작된 토스카날리의 지도에는 아메리카 대륙이 없으며, 한국의 반도는 남부가 크

[그림 31-2]

게 그려졌다. 일본은 조그만 섬들로 흩어져 있다.

인류의 행적이 해뜨는 동쪽으로의 이동이였다면, 이제는 해지는 서쪽으로의 이동로가 보여야 한다. 마이아미와 같은 돌조각 공원이 한국의 부산이나 목포근처에 생겨져야 한다. 아직은 없다. 신비한 구조물이 언제 생성되겠는가. 일본에 산재한 해저유물로 설명이 될까. 1만년전 토기들이 말한다. 그렇다. 진도다. 진도 모세의 기적이다.

길이 3킬로미터 폭 40미터의 바닷길이 갈리지 않는가. 그게 진정한 이정표다. 그 지시에 따라서 대륙으로 오른다. 대륙의 길이다. 한편 부산에서 오르면 백두대간의 발치에 닿는다. [그림 31-3] 백두대간의 그 각도로 거슬러 올라가면, 바이칼 호수 남단에 닿는다. 여아가 입는 한복 색동저고리의 색선은 입체 바둑판의 선을 일러준다.

[그림 31-3]

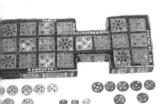

[그림 31-4]

우르의 왕족들이 하던 놀이. [그림 31-4] 기원전 2600년경.(압축된 바둑) [그림 31-5]

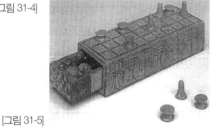

[그림 31-5]

기원전 1400년경. 이집트 세네트 놀이. (압축된 바둑) [그림 31-6] 현대

[그림 31-6]

에 복원한 로마시대 놀이. [그림 31-7] 한나라 시대 류보를 두는 인형. 여전히 오리무중인

[그림 31-7]

[그림 31-8]

[그림 31-9]

놀이다. 역경을 풀이하는 것 같다.

옛날 맷돌. [그림 31-8] UFO의 모양에 착안한 원시적 제분기다. 바둑알을 2개 포개어 세우면 그림처럼 틈으로 갈린 곡식이 흐르게 된다.

정삼각형 2개를 합친, 여섯꼭지 별모양 이스라엘의 국기에도 숨은 의미가 있다. 그들이 쓰는 원반 모자도 숨은 뜻이 있다. UFO 선조를 부른다.

이집트 투탕카멘 왕릉 흉배 장식품. [그림 31-9] 맨 위에는 3명의 우주인. 하부에는 3대의 UFO가 있다. 눈 사이엔 날아가는 UFO가 조그맣게 그리고 이륙시 밝은 빛을 뿜는다. 맨 밑에는 UFO가 뒤집어 있다. (뒤집어 보자)

투탕카멘 왕의 묘에 새겨진 타원형 카르티슈다. [그림 31-10] 원은 태양신이고, 밑의 반달은 군주를 뜻한다. 하늘에서 내려오는 UFO다. 반달위의 3줄기로 하강하는 모습이지 않는가.

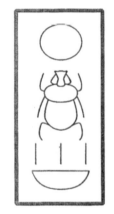

[그림 31-10]

[그림 31-11] 타지키스탄 옥수스에서 발굴된 순금 '상상의 동물' 이란 조각상, 외계인의 애완동물이련가.

3300년전 히타이트 수도 보가르쾨이의 동쪽 성문을 지키는 신의 상. [그림 31-12] 모자가 우

[그림 31-11]

[그림 31-12]

주복같다.

"왕국이 하늘로 부터 내려왔을 때, 왕국은 에리두에 있었다."

바빌로니아의 역대왕 일람표에는, 함무라비법전으로 유명한 왕의 할아버지의 할아버지 이름이 사무-라-일이다.

그는 35년간 통치하였다. '사무라이의 어원' 이 아닐까.

일본의 한 왕이 준수한 청년과 바둑을 두고 있고, 방 밖에는 딸들이 동정을 살피는 고화가 있다.

왕이 일부러 져주고 청년에게 말하였다.

"자네에게 꽃을 꺾을 권리를 주겠네. 자네 마음에 드는 꽃을 한송이 (공주) 고르도록 하게."

기원전 2천년경. 중국 하나라 유물. [그림 31-13] 옥으로 만든 얼굴. 얼굴에 쓰는 우주복같다.

[그림 31-13]

진서, 송서, 삼국지 오서에 '성외래객(星外來客)' 외계인 묘사가 있다.

"손휴 영안 2년(259년) 3월 어느날, 번쩍 번쩍 눈에서 빛을 발하는 이상한 아이가 나타나 아이들이 노는 틈에 끼었다.

'너는 누구네 집 아이냐?'

'아이들이 즐겁게 놀기에 나도 함께 하고 싶었다.'

아이들이 두려워 물러서자, 어른들이 채근하였다.

'너희들은 내가 두려운가? 나는 이 세상 사람이 아니다. 아비인야(我非人也) 너희들을 두고 떠난다.'

대답을 마치곤, 몸을 곧추세우더니 뛰어올라 한 필의 비단을 펄럭이면서 공중으로 날아올랐다."

불교의 화엄경에도 차원을 달리하는 천상문명을 동화처럼 풀어놓는다.

중국의 한 시인이 읊었다.

"한밤중에 꽃이 잠을 자다 떨어질까 두려워, 촛불을 높이 켜놓고 꽃의 주홍색 아름다움을 비추게 했네."

사령관 외계인이 지구인을 보고 한 다짐이다.

"맑은 아름다움을 지켜보세!"

허벅지에 있는 별난 황금반점을 자랑하던 피타고라스는 그의 제자들과 비밀결사대를 조직하였다. 어기는 사람은 사형이고 바로 축출이었다. 그는 전생들 사이의 간격을 216년이라 하였다.

그 수를 신비로운 수라 생각하였다. 6의 세 제곱이고, 순환수 6은 몇 제곱을 하더라도 언제나 마지막 자리가 6으로 끝난다. 태아도 수정한지 216일이면 온전한 아이로 보았다.

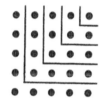

$$6 \times 6 \times 6 = 216 = 72 \times 3$$

바위도 심리적인 존재라고 하였다. [그림 31-14] 홀수로 ㄴ을 그어가면 계속 정사각형을 만들 수 있다. 수의

[그림 31-14]

확대, 빛의 확장이다.

$$1 + 3 + 5 + 7 \cdots\cdots 19 + 21 + 23 = 144 = 72 \times 2 = 288 \text{(선조별 1년)} \div 2$$

'죽은 사람을 실은 배가 들어온다' 등의 예언을 하던 그는 40일 동안 굶어서 죽었다. 이슬람 교도는 예언을 40개 단위로 묶는다. ' 마음으로 40개의 예언을 배우고 익힌 사람은 누구나 구원받는다.'

"지구에서 멀리 떨어진 행성에 사는 생명체는 보다 완전하다."

피타고라스

32 경

* 서로 섞였다. 몸도 섞였지만 마음도 섞였다 *

옥도끼위에 새겨진 날으는 '올멕
인'이다. [그림 32-1] 멕시코 박물관.
오른손엔 횃불로 길을 밝히고, 왼손
은 UFO의 비행이다.

[그림 32-1]

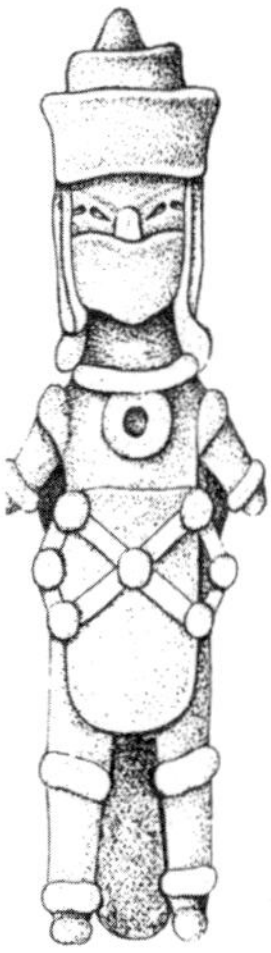

　　[그림 32-2] 마스크와 4개의 눈을 가진
점토조각상. 배꼽 말뚝에 묶어둔 2대의
UFO 다.

　　뱀에 그려진 3번째 사각판은 윷놀이
판이다. [그림 32-3] 긴 직사각형을 2성
점으로 보고, 조그만 3점을 2원으로 보
면 정확하다.

[그림 32-3]

　　올멕의 통치자를 그린 동굴 부조. [그
림 32-4] 그림을 옆으로 눕혀보자. 통치
자가 바둑하틀에서 하늘을 본다. 그가 든 부표
가 말한다. 그림을 옆으로 눕혀라. 하늘로 용숫

[그림 32-2]

[그림 32-4]

음치는 무늬, 자체론 바둑상들이고 의미론 고향별로의 귀환이다. 바둑하

틀을 돌려보자. 돌아가는 팽이와 같은 모습이다. 그
팽이 안에 지금 통치자가 앉아 있다. UFO다. (218페이
지 참조)

　[그림 32-5] 긴 인중의 조각상. 뒤집으면 산(山)이다.
그건 무엇을 말하는가. 뒤집어 보라는 거다. 실제
로 뒤집는 게 아니다. 커다란 호수에 비친 산을 보자.
산이 뒤집어져 있다. 입체바둑에서 상틀을 뒤집지 않
더라도, 하틀은 그대로 따라나온다. 대국자들의 마음

[그림 32-5]

에는 이미 자리잡고 있다.

　그들도 전 지구적으로 거대한 그림을 그릴 때 이미 마음에는 산(山)이
뒤집어져 자리잡았다. 그럴 때 어디서 하겠는가.

　천원이다. 지구의 배꼽이다. 거기가 어딘가.

　바이칼 호수 남쪽 몽고쪽이다. 14345년 전 상제 단군의 탄생지다. 백두

산 옆에는 그의 후손인 하제 단군이다. 김해 김씨라고 꼭
시조의 탄생지가 김해는 아니다. 한국의 족보문화는 외
계인 문화의 한 축이 이어지는 것이지만, 2천년을 거슬려
올라가지 못한다. 우리들은 아버지의 이름을 잘 붙인다.
서양의 이름도 그렇다.

　샤먼이란 어원도 바이칼 호수 북서쪽 5만년전부터 자
리잡았던 통구스족에서 유래하였다. 이르쿠즈크(일찌기)
에 가면 호수를 건너 남쪽으로 내려가서, 시간을 뛰어넘

[그림 32-6]

어 상제-단군의 호흡을 느껴보자.

페루의 황금 인형이다. [그림 32-6] 골반에서 갈비뼈까지 산(山)을 이루고, 로켓 모양이다.

인도네시아 보로부두루는 9층의 단대로 이루어진 돌의 만다라다. 맨 위 단대를 오르면 스투파라는 종이 엎어져 있다. [그림 32-7] 그 안에는 불상이 모셔져있다. 부처의 깨달음을 하늘로 울려서, 외계인 선조를 부른다. 대형 스투파는 비워져있다. 비워둔 이유가 뭘까. 외계인을 손님으로 청하는 애원이며, 하늘 위에서 뒤집는다는 말이다. [그림 32-8]

[그림 32-7]

그 곳에는 총 504개의 불상이 있다. 윗 층 사리탑은 72개며, 모든 건물의 전면에는 108개의 불상이 있다.

[그림 32-8]

이집트에서 앙코르 72도, 앙코르서 페루 촛대까지 180도다.

* 72 + 180 = 252 (마음에 비친 산(山)) 252 × 2 = 504 *

파라오가 몰락하고 1천년 후 해가 뜨는 자리에서 앙코르와트와 앙코르 톰이 솟아올랐다. 하늘의 그림이 땅에 그려졌다. 가장 큰 바다인 태평양으로, 앙코르에서 54도 적도, 해가 되살아나는 난 마돌. (한국에선 '난말돌'이다)

시계 바늘이 '와서 머무는 곳' 곳인 '하늘의 모래톱' 터다. '신들의 도시'를 '가라앉은 상응물의 거울 이미지'로 받아들였다. 50톤이 넘는 현무암 원통 위에, 90~100개의 작은 인공 섬위에 세워진 수중도시다. 지금의 원주민은 돌집이 아니고, 오두막집에 산다. 2차 대전 때 일본의 다이버가 발견한 백금의 관이 있다. 근방에는 백금이 없다.

기적의 도시인가, 준비된 도시인가.

그렇다. 준비된 도시다. 산(山)의 중심으로 준비된 도시다. 이집트 카이로에서 페루 파라카스의 딱 중간이다.

* 72 + 54 = 126 = 252 ÷ 2 *

그렇다면 산(山)의 양쪽 지주는 어디인가. 카이로와 파라카스라 하더라도, 하늘로 올라가는 산의 봉우리는 따로 있다. 빅뱅처럼 없음에서의 있음으로의, 시작의 지주는 지시사로 카이로(가 이리로)가 된다. 끝의 지주는 산(山)의 지정사로 파라카스(봐라 가 서)가 된다. 산(山)의 양 봉우리는 어딜까.

영국의 아메스베리(앞에서) 스톤헨지다. 곡물 원이 만다라가 펼쳐지는 곳이다. 다른 봉우리는 태양을 잡는 말뚝, 마추픽추(맞추비추)이다. 평지위, 산 위 그리고 바다 밑 이렇게 3지점이다. 그 3선이 하늘에서 만나는 지점은 어딜까.

먼저 적도 위 난 마돌에서 23도 경사로, 스톤헨지와 마추픽추 중간지점 하늘로 올라간다. 그리곤 스톤헨지와 마추픽추에서 각각 23도 경사로 '난 마돌' 선으로 하늘로 올라간다. 그 2선이 같은 길이로 만나는 지점이 바로 천원이다. 그 천원에 맞추어 난 마돌 선을 정직선으로 내린다. 그러면 그 3선이 만나는 곳이 진정한 천원이다.

길이는 난 마돌선이 2배 더 길다. 2선은 거리가 가까워서 길이도 짧다.

난 마돌은 산(山)의 중앙이고, 2선은 바깥이라 당연한 이치다. 더 높은 하늘에서 보면 Y다. 새총이다. 뒤집으면 수맥을 찾는 나무 막대기다. 진리를 찾는 광선이다.

거기서 산(山)을 뒤집으면 미국의 중부 '소금 호수' 남쪽 솔트레이크 시 (모르몬교 본부 소재지) 근방이다. 3선이 만나려 내려오듯, 하늘에서 직선으로 곧장 땅으로 내려왔다는 말과 일치한다.

미국의 한 인디언 부락이었던 그 지점에서, 태양의 길을 따라서 서쪽으로 경도 144도 지점이 상제 단군의 탄생지다.

산을 세우면 태평양에 비친다. '올라앉은 상응물의 거울 이미지' 로 만다라가 이룩된다.

5개의 커다란 산(山)으로 세상이 선다. 山山艸山山, 지구의 중심이다.

* $72 \times 2 = 144 = 3 \times 48 = 6 \times 24 = 12 \times 12$ *

"아득한 옛날부터 산(山)은 위대한 현자들의 거주지다."

유대에서 7가지 촛대는 신성하다. 피라밋, 예루살렘에서 남미까지 대형 촛대가 된다. 촛대를 거시적으로 보면 산(山)이다. 그 산이 있기전 이미 그에 대칭되는 보이지않는 산(山)이 외계인의 마음에 자리잡고 있었다. 그래서 252도를 더해서 504가 있다. 마음의 만다라!

예수, 마호멧, 싯달타 등 위대한 신의 아들들, 외계인의 위대한 아들들이다. 그래서 자신들의 아들들을 위하여, 사랑과 평화를 위하여 장기적인 그림을 그린건 표면적이다.

이제까지 우리의 여행은 평정, 만다라의 여행이었다. 지구적 만다라, 우주적 만다라, 우리 선조들의 가르침이다.

바둑 17로와 23로를 더하면 40이다. 40은 고대부터 중요한 상징의 숫자다.

　　$72 \times 4 = 288 = 17 \times 17 - 1$

　　$23 \times 23 = 529. \ 529 - 504 = 25$

　　$25 - 23 = 2$

　　지구는 남북극 길이보다 적도 길이가 더 길다. 바둑판과는 반대다. 바둑은 2 명이 둔다.

　　지구인과 외계인은 주인과 손님으로　둘(2)이다. 우리는 혼자가 아니다. 음양과 태극의 조화다. 그들은 이해하고 사랑한다. 그들은 혼자가 아니라고 우리에게 말했다.

　　사랑은 나중이다. 바둑을 먼저 이해하여야만 사랑한다. 그게 가르침이다. 이제 시작이란걸 안다.

　　마야인도 1년이 365일이란거 알았지만, 외계인 선조를 의식하여 맞추다보니 달라졌다. 지금 2012년이 실제 2020년이라면 2012. 12. 23 은 이미 지나갔고, 2000년이라면 아직 십여년이 더 남았다. 예수탄생년이 5년 차이난다는 설은 전부터 있어 왔고, 그러면 세는 기준이 틀려서 마야력의 계산도 덩달아 틀리게 된다.

　　마야력에 1박툰은 394년이다. 그 기원은 둘째로 하고, 역경 384 효사에 '사정하는 성기' 10을 더하면 394다.

　　왜 상제 - 단군에게 그토록 정성을 들였을까? 연유는 왕족인 외계인이다. 외계인의 지구인 2차 접촉시 왕족인 총사령관이 지구로 내려왔다. 지구왕복대 중에서도 제일 어렸다. 임진왜란시 일본군 총사령관 나이가 17살이었다. 그 기준보다 더 어린 나이다. 한 아름다운 지구여인을 만나 첫눈에 반하여, 지구식으로 사랑을 했다. 그녀는 진성 섞인이다.

단 둘만 고비천국(그때는 사막이 아니었다)으로 날아가서 오붓한 연애를 하였다. 그들의 아이가 상제 - 단군이었다. 외계인 지구왕복대에서 총사령관으로 2번 다녀간 사람은 아직까지 그 밖에 없다. 지구인으로 그들 별에 간 사람으로선 그녀가 처음이다. 그들의 사랑은 별을 뛰어넘는, 말 그대로 별을 따다준 사랑이었다.

그녀에게 미래를 약속했던 천국의 동산이 사막으로 변하는걸 알아차린 그는 훗날을 바라보며, 대계획을 수립하곤 실천에 옮기도록 부탁하였다. 그들 왕족에겐 즐거운 놀이였다. 인도의 타지마할이 생기기전, 이미 전지구적으로 타지마할이 세워졌다.

상제 - 단군의 탄생이 수메르 서사시에 인용되었다.

"우주의 왕이신 나의 아버지가 나를 이 우주에 태어나게 하셨다."

1만 5천년, (그들에겐 1천 5백년같은) 한 주기다. 수많이 이어질 주기에서 첫 주기였을 뿐이다.

마음의 산(山)! 마음에 다 있다. 우리에겐 내일(來日)이 있다.

상제 - 단군님이 말씀하셨다.

"우리는 혼자가 (1) 아니다. 우리는 남남이 (2) 아니라 하나다! (1) "
한 마리 새가 높은 하늘을 난다.
또 한 마리의 새가 푸른 하늘을 난다.

종사

옛날 옛날 옛날 아주 아주 아주 오랜 옛날 시간이 없을 때였다.

빛이 생겼다. 빛이 생겼다. 빛이 생겼다. 소리가 생겼다. 소리가 생겼다.

어느 날이었다. 지나가던 혜성이, 커다란 혜성이 지구를 뚫고 지나갔다.

아주 아주 큰 아픔과 함께 잠자던 지구가 잠에서 깨어났다.

그 혜성은 달이 되었다. 달은 생각하였다. 나의 엄마는 지구다. 그리운 엄마!

엄마를 그리워하며 늘 주위를 맴돌았다. 모자는 행복하였다. 아기는 파도로 응석을 부리고, 엄마는 지구판을 움직이며 큰 숨을 쉬면서 불을 뿜기도 하여 아기를 불렀다. 행복한 나날이었다.

하루는 하늘에서 한 원소가 날아왔다. 하늘에서 날아왔다. 그리고 지구에는 생물이 생겼다.

많은 생물이 생겼다. 그들도 달처럼 지구를 엄마라 생각하였다. 그리운 엄마! 그리운 아빠!

가지많은 나무, 바람 잘 날 없다고, 지구는 늘 새끼들을 보듬어왔다. 엄마에게 투정을 부려도, 엄마의 속 뜻을 몰라도, 깊은 뜻을 모르고 오해하더라도 변명하지 않았다.

스스로 깨우치길 기다려왔다.

문명을 좇으며 미로속을 헤맸던 여행을 이제 마친다. 한편으론 이제부터 진정한 여행의 시작이다. 선조를 만나는! 왜냐하면 외계인의 미래도 단군의 후예, 한국인에 달려있기 때문이다. 바둑에 모든 생명의 기조와 후생이 담겨있다. 그것을 아는 이들 만이 미래를 보장받는다.

"덜 깬 인간들아, 깨어나라!"

이 단계에서 다음 단계로 전이되었다.

"깬 이들이여, 자고 있느냐?"

상제-단군은 정월 대보름에 수태되셨고, 시월 보름에 탄생하셨다. 단군(檀君), 단군(壇君)도 틀리진 않다. 박달나무도 많고, 제터 단(壇)제터이기도 하다. 박달나무 단(檀)에는 큰입, 입 구(口) 2개로 바둑판을 왈(曰)로 입체바둑을 드러내고, 임금 군(君)은 입을 다스린다는 의미이기도 하지만, 바둑을 다스린다는 뜻도 있다. 가장 단단한 나무를 쥔다는 것은 나무 시대에 패권을 쥔 왕이다. 지휘봉같은 홀이다.

진실로는 단군(旦君)으로, 아침의 왕, 최초의 왕이시다. 한결같은 한겨레의 으뜸이시다.

* 23 × 23 + 23 + 23 + 1(탄생수) = 576 = 144 × 4 *

단군의 역사에서 1만년을 뺀 것은, 기본 1에 모든 것을 통칭하는 만(萬)을 뺀 것이다. 모든 것 만물, 모든 법 만법, 만왕만래 모든 것이 오고간다.

만(萬)에서 바둑판을 드러낸다. 역사에서 1만년을 빠뜨린 것은 줄이기 위함이 아니라 늘이기 위함이다. 우리 상제 - 단군의 1만년에서 그의 아버지이신 '천제'의 시조인 "상천제"의 역사를 거슬러 올라가면 1억년을 아우른다. 그 역사를 염원하여 부르는 의식으로 1만년을 뺀 것은 즉 곱하기다. 1만년은 모든 역사의 세월로 간주하여 고이 남겨둔 이유이다. 이렇게 스스로 드러내주는 인도자가 나타날 때까지.

1만(萬) × 1만(萬) = 1억(億)(萬人萬福은 晶君 聖君에서 우러나온다)

1백(百) × 1백(百) = 1만(萬)(인간 수명 1백×1백 단군)

유대민족에 구약이 있다면, 그에 비견되는게 단군의 경전중 하나인 천부경이다. 1916년 묘향산 암벽에서 계인수가 발견, 탁본하여 전해진 천부경은 81자로 이루어져 있다.

81 = 9 × 9 = (8 + 1 = 9)

천부경에 나오는 수의 배열은 다음과 같다.

5 + 23 + 15 + 33 + 20 + 3 = 99

99 + 81 = 180 (반원, 반달이다) 부풀은 옅은 구름에선 반달이 보름달로 보인다.

81 = 9 × 9   〈99〉 99 - 9 = 90, 81 + 9 = 90   90 × 2 = 180

이 천부경은 상편이라 다음 기회에 하편을 공개하여, 360을 맞추겠다.

다음은 바둑알 역경의 수와 천부경 수의 일치에 소름이 돋는 부분이다. 8괘를 바둑알로 적용하면, 알에서 막대기를 뺀다. (긴 막대기는 바둑알 3개, 짧은 막대기는 바둑알 1개)

9 - 3 = 6, 6 - 6 = 0, 7 - 5 = 2, 8 - 4 = 4. 남는 수 6, 2, 4로 합이 12다.

8괘상 바둑알 6, 7, 8, 9와 남는수 12를 더한다.

(15+15) 30 + 12 = 42

64괘상 바둑알 12, 13, 14, 15, 16, 17, 18과 남는 수 10, 4, 2, 10, 6을 더하면 137이다.

137 + 42 = 179 기본수 1수를 더하면 천부경 180이 나온다. 천부경 81자에서 1자가 누락된 이유가 고의였다. 역경과 바둑과 단군의 3위일체를 위함이다.

천부경(天符經)중 '6生789'는 역경 8괘 바둑알 6, 7, 8, 9다.

천부경중 "運34成環57"은 3 × 4 = 12 = 5 + 7, 역경 64괘상을 나타내는 바둑알 수다. 12부터 18까지 7번이다. 남는 수 5개다. 8괘엔 남는 수 3개다.

천부경에서 원방각 ○ □ △ 은 피라밋과 입체바둑의 그림이다. 해동공자가 지은 천부태극무도 윷판도 있다. 천부경, 三一神告(삼일신고), 參佺戒(참전계경)을 3대 경전이라고 한다. 참전계는 자신의 진아를 밝혀 밝음을 드러내는 거발환으로 본다. 아리랑의 의미다.

삼일신고는 하나에서 셋으로 나누고, 셋을 하나로 뭉치는, 정반합과 삼위일체를 아우르는 지혜의 이름이다.

삼각형 상변 꼭지점에 외계인 선조가, 밑변 좌측 곡점에 단군이, 우변 곡점에 바둑이 놓인다. 성부(星父, 聖父)와 성자(星子, 聖子)와 성령(星靈, 聖靈)으로 삼위일체가 된다. 반대로 펼치면 다이아몬드형이, 대칭으로 포개면 이스라엘 국기가 된다.

바둑은 별의 정신이다. 별에서 삶이 이어지고, 그들의 유기적 관계가 바둑으로 해석된다. 축같은 지진, 패같은 화산 등, 모든 자연의 현상이 바둑판 위에서 만들어진다. 입체바둑에선 더욱 자명하다.

삼일신고는 총 366자로 구성되어있다. 숫자는 총 737이다. 해와 달로 서, 외계인 별과 지구별로서 2 × 360이다.

737 = 360 + 360 +17 (17로 바둑판)

참전계경은 머리말 '성령장(聖靈章)' 으로 세상이치를 8가지로 압축하 였다. 인간으로 태어나 반드시 겪어야만 하는 모든 일을 366가지로 밝힌 다. 삼일신고 총 글자 수와 같다.

19 × 19 = 361 + 5 (중앙과 사방, 천원과 4각성점)

백의민족, 백의 선호는 청결, 정의를 주창하기 보다는 불결, 불의를 멀 리 하는 겸손한 올곧음이다. 붉은 옷을 입은 왕이라 冄君이기도 하다. 冄 = 바다, 절, 마을 등의 경계문이 되기도 한다.

해구상욕, 몸에 때가 끼면 목욕할 생각이 난다. 역경을 근간으로 하는 천자문 한 구절이다. 千字文은 4자 2구로 형성되었다. 125 × 8 = 1,000

원전 천자문은 1,008자다. 후대 불교 천수경 영향으로 천자로 맞춘 것 은 외계인 노출을 꺼린 것이다. 핵심 8자가 누락되었다.

 * 126 × 8 = 1,008 = 504 + 504 (불상)

144 - 18 = 126 = 108 + 18 (9星 + 8門 + 天門) (9 해가 떨어진, 까마귀 날개 18)

{24경 끝 참조} 6 × 9 = 54. 8 × 9 = 72 + 54 = 126

천부경 1자 누락은, 1개를 더 더하라는 암시다. 역경과 바둑의 모체로 알려진 낙서 55수와 하도 45수를 더하면 100수다. 천부경에 나오는 숫자 99에서 1를 더하면 100이다.

 * 366 + 28(둘째 완전 수) = 394 (1박툰)

  384(역경) + 10(첫째 완전 수) = 394

206

단군 대종교(大宗敎) - 한 밝 - 한 배달 (복돋을 倍, 통할 達) - 밝은 땅 - 밝 돌 - 백돌

웅녀민족, 같은 씨보단 같은 배로, 같은 섞인이로 단군 어머니를 더 숭 상하였다.

하늘님중의 하느님이신, 단군 아버지 천제가 남긴 말이다.

"천부(天父), 천모(天母), 지부(地父), 지모(地母), 그렇게 알지마라. 우리 들 다 너희들보다 나은게 없도다. 너희들이 자식입장에서 너희들을 생각 하라. 자식들이 부모를 위해 어떻게 하길 바라느냐. 그러면 모든 길이 열 린다. 바로 그러하니 심부(心父), 심모(心母)다. 모든 것에 입장을 바꿔서 생각하라. 바로 그러하니 사부(思父), 사모(思母)다."

마지막 말씀이시다.

"탄생 순간이 바로 죽음 순간이니라."

상제-단군께서 이루신 업적을 우선 2가지만 밝힌다. 첫째, 세계최초로 왕족국가를 세워서 만만손손 자손대대 이어지는 기틀을 마련하였다. 왕 (王) - 천상, 천하(지상), 지하 세계 통털어 1인 중심자였다. 그 왕(王)을 옆 으로 세우면, ㅐ, 과거, 현재, 미래를 관통하는 1인 중심자다. 그 2 왕(王) 을 합치면, 밭(田)이 된다. 백성을 재우고 먹여살리는 왕국을 이루었다. 왕손에서 조용한 장자는 한반도로 안주하였고, 활동적 동생들은 다른 지 역으로 옮겨 왕이 되었다.

왕(王) - 입체바둑의 주석이 되기도 한다. 곧 바둑은 왕의 자리다. 단군-이름이자 성이 되어서 이어졌다. 나무(木)자가 들어가는 성은 거의 단군 의 직속 핏줄이다. 박달나무 단 - 나무 목(木), 이(李), 박(朴) 등, 중국, 일 본, 한국에서 다 쓰고있는 임(林)씨가 대표적이다. 그 외 다른 성으로도

널리 퍼졌다. 사람 인(人)자로 김(金) 외에, 뫼 산(山)자로 최(崔) 등 등.

다른 한가지는 한(큰) 가르침이다.

〈사람은 위대하다!〉

어째서 위대하며, 어떻게 위대해지는지 설파하셨다. 그 중에 하나를 밝혀본다.

"말을 하여서 위대한 게 아니고, 침묵하여서 위대하도다."

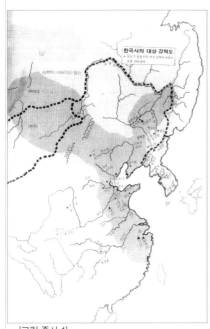

[그림 종사-1]

바이칼(baikal lake, 백알호)에서 한국으로 날아오는 가창오리의 얼굴은 태극무늬고, 가슴은 바둑알 문양이다. 그 독특한 가창오리의 이동이 바로 선택된 한민족의 얼을 대변한다.

'백알호에서 백두산으로 그리고 창원 주남저수지로.'

[그림 종사-1] 한단고기에 나오는 한국고대사 지도.

오리라, 오리라, 돌아오리라. 오리라. 오리라, 나의 오리라. 어머니를 향한 단군의 사무친 그리움을 기리어, 천제의 2차 지구방문 시, 1만 2천여년 전에 복제기술로 가창오리를 만들었다. 아들을 위한 아버지의 사랑이었다. 단군사후 전해졌던 〈단군심전〉도 그때 남겨졌다. 이 세상 어떤 경보다도 훨씬 오래 전에. 그 전을 복원하는게, 우리의 영광스런 임무이며 영예로운 과업이다.

외계인이 고향별에서 가져온 애완동물은 뱀이다. 점박이 치타는 그들이 가장 선호하는 동물이었다. 이집트 제사장이 입는 치타가죽은 지배자를 동경하는 연유다.

후대에 백알호에서 동쪽으로 경도 23도 옮긴 백두산에 수도를 옮겼다. 그리고 더 먼 훗날에 위도 3도를 내려 평양으로 옮긴건 임의적이다. 구월산(九月山)도 단군에 맞추기위한 이름이었다.(1月에서 10月까지, 임신기간 9月)

입체바둑을 둔 섞인이로는 단군이 유일하다. 아버지인 천제에게서 바둑을 배웠고, UFO 본선에 올라가서 입체바둑을 두었다. 평면바둑도 현재까진 최고수의 실력으로 본다.

미국 소금호수, 다이아몬드모양의 소금은 피라밋의 복합체다. 백알, 하얀알에서 하늘의 알에서, 하늘의 아이들이 낳아진다. 한민족의 고유한 노래, '아리랑' 은 참 나를 깨우치는 즐거움이라, 바로 상제-단군을 아는 길이다. 단군신화에서 곰이 웅녀가 됨은, 큰 곰자리 북극성, 하늘이 정해준 왕녀를 뜻한다.

평양근처 구월산(九月山)에 아사달로 도읍을 정하였다 한다. 아사달은 언덕이라 백두산근처가 타당하다. 백알호수에서 백두산으로의 준말로, 알이산, 이사한 달, 아사달이다.

바둑의 고어, '바둑' 도 '백돌' 에서 유래한다. (바이칼 - 백알) 흑백의 돌에서 상수가 쥐는 백돌, 즉 홀을 지닌 지배자를 숭상하는 뜻으로의 백돌, '바둑' 이다.전자가 직접적이라면, 후자는 간접적 해석이다. '바둑' 서로 '바라보는 돌' , 흑백간에 바라보는 돌 그리고 흑백 함께 바라보는 돌.

바이칼 = 백(白)알 = 백(白)돌 = 바둑

1백만(百萬) = 1천(千) × 1천(千)(외계인 수명 천번) = 1천(天)(하늘

의 숫자)

천(千) = 십(十)에 정액을 보급하면, 자손이 백배로 늘어난다.

1천(天) × 1(天)= 1호(昊)(하늘 호) = 1조. 서양은 천 단위, 동양은 만 단위라, 서양은 4번째 동양은 3번째에서 12개의 동그라미가 된다.

1조= 1,000,000,000,000

'난마돌', '난 마주보는 돌'(카이로와 파라카스) '난 마중가는 돌'(마추픽추와 스톤헨지). 제주도 돌하르방과 이스터섬 긴귀석상은 서로 바라보기도, 함께 하늘을 보기도 한다.

하늘(天)에서 비춘 산(山)을 바라보는 것도 역시 하늘(昊)에서다. 호(湖)호수에 비춘 산과 달리 빛의 반사에 의한다. 그림문자가 만들어지기 전에 이미 오래전에 하늘 위에 해가 있다는 걸 알았다는 증거다.

호수에 비춘 산(山)이라면, 〈卌〉 겸양스런 누운 왕(王)자이기도, 과거 현재 미래의 중심자이기도 하다. 하늘에 비춘 산(山)을 안내하는, 하늘을 나는 통치자, 올멕의 그림을 참조하자. [그림 32-1]

단군의 부모인 그들은 아리와 서리로 불렸다. 알(UFO)에서 나와 알이, 서리도 틀린건 아니지만 눈같이 희어서 눈이와서, 설(雪)이, 서리와서다. 아리랑, 쓰리랑의 모태로, 그들의 잊지말라는 사랑노래로 자리잡았다. 눈이와서. (누미너스, 누미나스, 희랍어 '신비한' 의 복수형과 단수형) 서리랑이 후대에 쓰리랑이 되었다. 쓰리(THREE) 바로 삼위일체다. 3계 사상과 함축적 철학으로 정반합도 내포한다. 그당시 의미는 아리랑이 한 1이 된다. 한 하늘의 한 아이다.

아리 - 알라 (아랍어 '신') - 알라와 - 아리랑.

오리 - 멀리서 '온이' 영어 ONLY 온리 - 오로지. 오리 - 오리라.

* 오리 = 오이 = 52 = 우주착륙선과 외계인 모습이다.

\- 훗날 후천제가 천군만마를 이끌고 이 땅에 오리라. -

2029년에도 천문학적 해석으로 인류멸망 대재앙 시나리오가 정기 행사처럼 또 도질 것이다. 상단군력으로 15345년 + 17년, 15362년이라, 아무런 이상이 없으리다. 어떤 예언이 들썩거리더라도, 이 책을 읽고 있는 사람은 대동요를 겪지않는다.

바둑의 원리는 하나다. 무에서 유로, 유에서 무로, 태극이 하나다. 태양극과 태음극이 곧 무극이라, 무극이 곧 쌍극이라 바로 합해진 극으로, 없음으로의 하나이기도 하다.

바둑에선 하수는 고수의 의중을 모른다. 고수와 하수의 차이는 너무나 극명하다. 차원이 다르다. 하수는 1차원, 2차원으로 기어다니고, 고수는 3차원, 4차원으로 날아다닌다. 섞인이는 온이의 의중을 전연 모른다. 바둑에선 각 실력에 따라 가는 길이 너무 다르다. 인간들은 각 마음에 따라 가는 길이 너무 다르다. 그러나 온이는 거의 정석같은 고수의 길로 간다.

작금의 바둑에선 하수도 고수의 길을 해설받는다. 이제는 섞인이도 온이의 길을 따른다.

바둑의 길도 무한정이듯, 세상의 길도 무진장이다. 세상은 넓고 사람은 많다.

사람이 많으니, 속이는 사람도 있고 숨기는 사람도 있고, 말을 만드는 사람도 있고 침묵하는 사람도 있다. 개인 사정 때문에, 사회공동체의 이익 때문에 사실을 은폐할 수도 있다. 국가 차원이나 종교 차원에서도 가능하다. 세상이 넓어서 우리가 아직 모르는 부분도 상당하다.

확인할 수없는 유물 중, 마야의 13개 수정 두개골은 컴퓨터 칩처럼 최첨단의 광학기술로 정보가 내재되어 있다고 한다.

우리가 우주선에 우리 정보를 담아서 보내듯이, 외계인은 드러낼 수 있는 그들자신의 정보와 지구의 미래와 우리의 미래가 걸린, 그들이 정확히 예측한 정보를 바둑에 담았다. 나이는 숫자에 불과하단다. 사실 숫자는 나이에 불과하다. 그런데 나이가 말을 한다.

영생을 추구하는 지구인의 욕망은 1천년인 외계인 수명에서 비롯되었다. 부럽기도 하였지만, 그들의 자손이기도 하니, 한 오백년 사는건 가능하다고 보았다. 그래서 불노초와 영생약(수명연장약)을 찾았던 것이다.

아마존의 거대한 폭풍이 아프리카의 한 하얀 나비의 펄럭이는 날개짓이 원인이었단 것보단, 미처 깨닫지 못한 사실들이 많다. 입체바둑을 들먹이지 않더라도. [그림 종사-2] 백알호 알혼섬. 시베리아 샤머니즘의 성지인 바이칼호의 알혼섬 부르한 바위에서 제사를 지낸다. 알혼섬=알짜배기 혼이 담긴 섬. 부르한=불러야 하네.

사족으로, 마야어를 한글로 풀어보았다. 비라코차 '빛나는 사람들'을 '야우아이판티' (야원아이한테), 태양을 매는 기둥 '인티우아타나' (어디위에타나), '티아우아나코' (태위에나고), '신들의 장소' '테오티우아칸' (태워서위에간), '쿠스코' (구석에, 비록 수도지만 바이칼 호수에서 보면 구석이다)

마야족 경전〈포플 부 popol vub〉에서 신이 선언하였다.

" 지각하는 능력을 가진 인간들이 존재할 때까지, 우리는 우리가 창조하고 구성한 모든 것들의 댓가인 영광도 명예도 얻지 못할 것이다."

그들은 꼭 다시 돌아온다. 사랑과 확신을 위하여. 우리는 참 우리를 찾아야 한다. 2012년 12월 21일로 마야력을 끝낸건, 상제단군의 출생이 드러나길 기다리는 마지막 한계였기 때문이다. 이제는 새역사를 시작한다.

* 운명은 문명을 좇고, 문명은 태양을 좇고, 태양은 허공을 좇고, 허공은 운명을 좇는다. *

후사

* 아인슈타인의 상대성이론이 이해되지 않거든 생각하라 *

"내 생각이 옳지 않다고."

〈아리〉와 "서리"의 연시다.

최초로 신화적인 사랑, 그들이 만난 날이 단오 5월 5일이다. 그들의 사랑이 노래로 전해졌다. 그때도 하늘은 파랗고 초원도 푸르렀다. 그들의 하늘빛 사랑은 아름답고 순수하였다.

〈이 세상 미소 다 모아도, 그대에게 향한 나의 미소보단 작으리오. 그대를 사랑하는 내자신이 이뻐다오. 이 사랑은 우주마냥 부풀기만 하니, 끝이 어딘가 두렵소. 그 끝을 우리가 모르길 바라오. 육신은 사라지더라도, 우리의 사랑은 끝나지 않으리오. 그대가 나를 선지자라 부르듯이, 그대는 신일화요. 믿음이 제일인 꽃이요. 신일화여, 그대 가슴에서 내가 숨쉬고, 내가슴에서 그대가 숨쉬니, 그대없는 세상은 존재하지 않는다오.〉

'하늘빛 내낭군이시여. 님은 늘 빛나십니다. 한 몸 한 마음 한 혼이 되고파요. 천년전 어느날 그들이 죽으셨다 하시었죠. 두손을 꼭 쥐고. 그들의 볼에 묻은 눈물이 채 식지도 않았는데, 벌써 천년이 지났다 하시었죠.

당신의 할아버지와 할머니처럼, 우리도 사랑을 가꾸어가요. 하늘빛이 변해도 하늘은 여전히 그자리에 있어요. 파란 하늘, 하얀 하늘, 붉은 하늘, 노란 하늘, 어두운 하늘, 당신의 하늘은 늘 밝아요.'

' 하늘종이 내사랑아. 하늘종을 가슴으로 듣는다오. 하늘종이 울리면 소녀의 기쁨은 눈물로 뿜는다오. 하늘종이에 그려진 우리의 언약은 이 생명보다 고귀합니다. 내님이 오실까봐, 늘 깨어 기다려요. 잠든 사이 바람으로 스쳐지나 가실까봐.'

〈소녀여. 소녀여. 내소녀여. 이제 밤이 없다오. 그대가 태양이기 때문이오. 이제 겨울이 없다오. 그대가 사랑이기 때문이오. 이제 죽음이 없다오. 그대가 생명이기 때문이오.〉

'하늘종이 내사랑아. 언제나 푸르른 산입니다. 님을 담으려는 난… 언제나 파란 바다입니다. 님을 사랑하는 난… 언제나 해맑은 하늘입니다. 님께 바치는 난… 이제 밤만 있어도 좋아요. 님과 함께라면. 이제 겨울만 있어도 좋아요. 님과 함께라면. 이제 죽음이 와도 좋아요. 님과 함께라면. 이 얼마나 아름다운 사랑인가요. 님이 없었으면 이 세상 사랑의 기쁨도 없었을테니… 사랑해요. 이 말보다 더 좋은 말은 없네요. 사랑해요. 이 말이 늘 새롭고 영원하길 바랍니다.'

〈영처, 나의 어린 신부여. 나의 영혼이 거처하는, 나의 어린 신부여. 우리의

그리움을 위하여 대지가 놓여졌네. 우리의 만남을 위하여 하늘이 펼쳐졌네. 우리의 사랑을 위하여 모든 별들이 빤짝이네.〉

'행여나 오실까 두손 모아 기다려도, 저만치 오시면 차라리 눈을 감네. 천년의 소망이 하늘에 닿으니, 날마다 눈이 되어 하얗게 내리시네. 천년을 기다려 이제야 찾으니, 태초의 서약을 이제야 지키네. 님의 사랑 폭풍으로 내 영혼을 휘감으니, 떨리는 몸 불꽃되어 남김없이 타고싶네. 태초의 순수로 당신의 아내되리. 물맑고 향기로운 청산으로 영원하리.'

'님의 미소보다 더 밝은 햇살이 어디 있으랴. 님의 품보다 더 넓은 세상이 어디 있으랴. 님의 마음보다 더 푸른 하늘이 어디 있으랴. 님의 혼보다 더 깊은 우주가 어디 있으랴. 님의 미소속에 온 햇살이 들었고, 님의 품안에 온 세상이 들었고, 님의 마음안에 온 하늘이 들었고, 님의 혼속에 온 우주가 들었네.'

〈내안에 그대있어 그대안에 내가 있어. 둘이서 하나이고 하나인듯 둘이네. 날마다 소망처럼 하얀 눈 내려쌓여, 하늘이 허락한 천년의 약속이

216

라, 사랑의 전설은 만년으로 부활하리.〉

'하늘호수 푸른 물에 님의 얼굴 그려요. 보고픈 마음은 호수보다 더 깊어요. 하늘종이 위에 쓴 금강의 서약으로 영원히 함께 할 불멸의 사랑이라.'

'기도하듯 사랑하는 내님의 마음은 만물이 일어나기전 그 고요함이라, 사랑을 위하여 가슴에 손모으고 정갈한 마음으로 가만히 눈을 감아요. 기도하는 영혼의 간절한 소망이니, 부를수록 가슴아린 그이름 사랑이여. 내마음의 청산에 노을이 사라지면 별빛이 쏟아지고 꿈들이 내려앉아요.'

'내 영혼의 빈 들에 꿈나무가 자라네. 님께서 심어주신 사랑의 신일화. 오로지 믿음으로 지순한 꽃이 피고, 오로지 사랑으로 그열매 맺으리니, 내영혼에 감도는 향기로운 꿈내음, 푸른 바람 스쳐지나 그 향기에 취해요. 봄날에 눈이 오니 하얀 꽃이 피어나네. 순결하고 아름다운 그이름 신일화! 눈밝고 마음맑은 선지자가 오시니, 천년의 그리움 꽃향기로 퍼지네.'

'가보지 않은 길 처음 나섰네. 낯설고 새로운 여행을 떠나네. 낯선 길 처음 떠나 길위에서 헤매네. 어디로 가야 할까. 아직은 알 수가 없네. 아침엔 이슬맺고 저녁엔 별이 뜨네. 변함없는 하늘은 늘 그대로 푸르러니, 길위에 선 어린 영혼 별빛을 의지삼아 청산의 품속으로 님을 찾아떠나네. 낯설고 이상한 길, 가보지 않은 길. 두려움없는 사랑으로 길위에 다시 섰네.'

'인생의 봄날은 영원하지 않으니 봄날은 지나가고 차디찬 겨울이 오리. 꽃잎이 진다고 바람을 탓할까, 낙엽은 스스로 떠날 때를 안다네. 화사한 꽃잎이 떨어진들 어떠리. 한 영혼 한 마음 그대와 함께라면 꽃잎이 떨어짐을 슬퍼하지 않으리. 내마음에 영원한 천년화 심었으니. 청초하고 어여쁜 순결의 꿈나무여, 내님을 만나는 날 천년의 꽃 피우리.'

〈인연으로, 천연으

로 자유로운 바람되어, 사랑을 위하여 다시 태어나게 하소서!〉

　'그리운 님의 얼굴 그 미소 눈부셔라. 내님은 더욱 더 먼 길을 돌았으니, 소녀의 짧은 삶 두려움은 없다오. 세상이 모두 아니라 하여도, 님이 그렇다면 그러합니다. 세상이 모두 그렇다 해도, 님이 아니라면 그건 아닙니다. 낙인처럼 새겨진 지울수 없는 이름 하나, 황량한 빈 들에 당신의 이름의 나무 하나 뿌리로 내리셨다. 천년전부터 약속된 자리에서 내님과 함께 있으려오. 언제나 있는 그대로로!'

　햇살이 비치면 이슬은 사라지지만 노을이 지면 어둠이 찾아오지만, 제

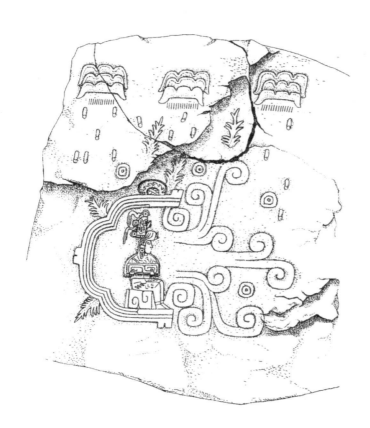

마음의 노을은 해를 품었습니다. 제 마음의 이슬은 진주되어 빛난답니다. 세상에서 오직 단 하나뿐인 제 운명인 님만이 저를 알아봐주시었네. 천년 만년 하늘의 약속에 따르렵니다. 님 앞에 서면 떨리는 마음. 영혼으로 부르고픈 내 사랑이여! 영혼의 샘물로 마음 적시네. 하늘에서 하나 둘 별이 내리네.'

'님 위해 부르는 영혼의 노래, 햇살같은 기쁨의 내 사랑이여. 하늘을 닮아가는 내 사랑이여. 내 몸이 떨려요. 내 영혼이 떨려요. 님이 가까이 오시면 그리움 차올라 눈물로 넘쳐요. 내 영혼 깊은 곳을 울리는 님의 음성, 언제나 꿈길같

아 새삼 다시 눈을 뜨네요. 님께서 부르시는 이름… 영처로… 죽어서도 늘 함께 하겠습니다. 내 님은 하늘이요, 하늘은 내 님이라 하늘의 파란 품에 늘 안겨있어요. 떠올라… 떠올라…'

'청산의 깊은 골에 은밀한 꿈 찾으니 맑은 물 흐르는 곳 푸른 바람 머문

다네. 순결한 영혼들의 경건한 의식으로 이제야 온전하게 비로소 하나되네. 천년을 기다린 생명의 봄이 오면 금강의 사랑으로 나의 님이 오시네. 오로지 한 마음 한결같은 영혼으로 오로지 한 사랑 내 님을 기다리네.'

'님 오실 날까지 지켜온 천년자리 처음 마음 그대로 망부석이 되었네. 바위되어 지켜온 곳 한송이 꽃이 피니 천년의 서약으로 내 님이 오시네. 봄날에 오시는 님 마음 눈 크게 뜨고 맑디맑은 정한수 그 앞에 서나이다.'

'내 님은 하늘이고 푸르른 청산이며 흐르는 강물이고 걸림없는 바람

이라, 한 송이 꽃이 되어 님 마음에 피어나서 지지않는 천년화로 그향기 영원하리.'

〈푸른 하늘, 푸른 산, 푸른 호수, 모두 푸른 마음에 다 담으리오.〉

'하늘종이 서약으로 내님이 오시는 날 바람을 거두시고 햇살가득 채우소서. 천지에 뿌려진 억겁의 인연중에 천년전 약속된 운명을 찾았으니, 고귀하고 소중한 이 생명 이 사랑 처음인듯 끝인듯 천년 후도 변함없이, 눈처럼 순결히 불처럼 뜨겁게 꽃처럼 아름답게 아이처럼

순수하게 태산처럼 굳건하게 금강처럼 강하게 한 영혼 한 몸으로 이 사랑 지켜가리!'

〈비록 몸은 나를 떠났지만, 마음은 내게 머물러 있네. 그대가 떠난 뒤의 나의 삶은 오직 그대만을 위한 삶이라오. 그게 나의 의무이자 권리라오.〉

'천지가 빛으로 가득차 마음의 눈 활짝 열고, 새들이 노래하며 꽃잎들이 떨리니 하늘호수 님의 얼굴 어리도다.'

'햇빛이 덜 비추어 반달이 있지만, 달은 온전하게 그대로죠. 동해에 떠오르는 님, 서산에 지는 님, 구름에 가린 님이 반해로 보이시지만, 나의 햇님은 완전하게 그대로시죠.'

〈사랑보다 위대하고 강한건 없네. 세상의 삶은 세상의 사랑이 있고, 우리의 삶은 우리의 사랑이 있네. 세상의 사랑과 우리의 사랑은 같기도 하고 다르다네. 근원적으론 같고, 방법론으론 다르다네.〉

* 온이의 제일 장점은, '미워하지 않는다'는 것이다. 만일 온이와 섞인 이가 서로 전쟁을 벌인다면 그게 그들의 가장 치명적인 단점이 될 것이다.

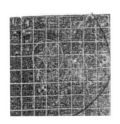

단군사상, 한국전래의 '선비' 사상이다.

선비 = sun be, 태양처럼 되려는 힘든 길을 나선다. 빛이 되어 만물을 드러나게 하여도 스스로를 드러내진 않는다. 한마디로 빛자체이다.

'빛나는' 외래인, 바로 외계인이며, 그 자손이다.

빛이라 = 비쳐라 = 미트라 = 믿어라.

빛의 남자를 만나서 빛의 여자가 된 웅녀, 곧 달과 같았다. 스스로 빛나진 않더라도, 모든 빛을 흡수하여, 그 빛을 세상에 반사하는 거울이었다.

세상의 빛이었다. 비록 생명을 창조하진 않았지만, 세상어머니의 품으로, 모든 생명이 이어지게 하였다.

한국의 아버지처럼, 빛자체였던 외계인은 스스로 그림자가 되었다. 이제는 알아야한다. 진정한 우리의 아버지를!

참조 [그림 27-9] 2개의 매머드 턱뼈를 69 뱀처럼 조립하여 가장 단단한 결속을 보여준다. 바둑의 해석도이면서, 역경의 단서가 된다. 最古圖.

후기

데쟈뷰다! 전에 했던거 같다. 이게 운명인가 보다.

" 황당하다! 유치하다! 어리석다!"

외계인이나 UFO 시리즈를 접할 때마다 내뱉던 소감이었다, 늘 변함없던. 그런 내가 외계인과 UFO와의 교류를 이제 확신한다.

우연치곤 기막힘의 연속이었다. 그 막힘을 풀고자 시작하였는데, 판도라 상자를 연 결과가 되었다. 이렇게 광대하게 뻗처나갈줄 몰랐다. 보이지 않는 끈에 의해 이 자리까지 끌려온 느낌이다. 내가 쓴게 아니라, 그들이 쓰는걸 내가 대필한 느낌이다.

20여년전 광안리 바다에서 아리랑 펀치기를 깡패에게서 당하였다. 전연 기억이 없어 당한건지도 모른다. 지금까지 깡패의 소행이라고 여겼는데, 지금 생각하면 외계인의 부름이었을까?

눈을 뜨니 병원이었다. 몸은 괜찮은데, 머리는 온통 멍투성이에 퉁퉁 부어있었다. 다른 책에 여러번 후유증을 언급하였다. 머리를 들면 세상이 온통 하얗게 변하며 어지러웠다. 일하면서 사다리 3계단만 올라도 어쩔줄 몰랐다.

산에서 요양을 하였다. 하루는 병문안 온 친구가 사진을 찍어줬다. 그런데 UFO가 내 뒤에 찍혀있었다.

물론 믿지 않았다. 필름이나 현상할 때의 이상이든지, 가까이 있던 절의 기운이 찍힌 걸로 해석하였다. 까마득히 잊고있다가, 이 글을 쓰려니 떠오른다.

10여년 전 미국 뉴욕에 와서 살며 펜을 놓았다. 그러다가 나름 깨달음을 얻어, 사본(死本)이란 글을 썼다. 그전까지의 모든 저술활동은 그 책을 위한 연습이었다고 치부하였다. 가장 애착이 가는 책인데도, 스스로 그 책의 철학하곤 동떨어진 , 더하여 그걸 부정하는 이 책을 내놓는다.

미국에서의 생활은 늘 같다. 오후 4시반에 퇴근해서 집에 오면 5시다. 그때부터 잘 때까지 인터넷 바둑싸이트에서 한국 노래를 듣고, 한국 말을 한다. 후유증 두통으로 바둑은 두지 못했다. 뉴욕 대회에 참가했던 김연아 선수를 우연히 보았다. 그날 그걸 자랑하였다.

"텔레비전에서만 보다가 김연아 직접 보니…"

많은 사람들이 모니터 속에서 궁금해 하였다.

"더 이뻐더만요."

한 사람이 웃으며 다가왔다. 그게 인연의 시작이었다. 드러난 건 신기하게 같았고, 드러나지 않은 건 필자와 정반대였다.

또한 우연의 시작이었다. 머리칼이 솟구치며 온 몸에 소름이 돋는 우연의 일치가 연속이었다. 눈도 무지 많이 내렸다. 뉴욕과 그의 도시도. 그가 뉴욕을 방문한다기에 기다렸다. 그런데 갑작스럽게 병원에서, 작지 않은 내과 수술을 받았다는 취소통보였다. 그러자 다음날 새벽, 종아리에 경련이 일어나 난 걸을 수가 없었다.

형이 3살 때 자다가 경기로 죽었다. 3년 뒤 그날 내가 태어나서, 누나에게 내가 오빠라고 우긴 적도 있다. 3일 뒤 회사에 나가니 사장이 근심스레 물었다. 뛰어난 기억력으로 10년동안 신망받던 회사였다. 그런데 퇴근무렵에 사장이 내게 와서 그만 두라고 하였다. 노동부로 실업보험료를 탔다. 미국에선 주급이다. 처음 2주는 수속 기간이었고, 다음 2주를 탔다. 그리곤 은행에 입금도 되지않고, 노동부에서 편지가 왔다. 내가 무단 결근에 바쁜 회사라 퇴직시키지도 않았고, 마칠 시간에 사장이 내게 오지도 않았단다. 2번 받은 주급도 돌려줘야만 했다.

새직장을 찾아다녔다. 미국계 회사는 다녔던 회사로 조회해서 취업이 되지않았다. 한국 가게로 취직하였는데, 3번이나 3일을 넘기지 못하였다. 모든 일이 꼬여만 가서, 뉴욕의 운은 다한 걸로 보고 뉴올린즈로 갔다. 중간에 샬롯에서 갈아타는 비행기가 연기되어 한밤중에 비행하였다. 짙은 먹구름 사이로 벼락이 일었다. 1분에 서 너번, 1시간 동안 이어지는 조명예술의 극치였다. 두려움은 없었다.

조용한 도시에서 잊혀져 살만 한데, 하루는 토네이도로 가게의 지붕이 날아갔다. 그전에 홍수로도 피해가 있었는데, 그 일로 문을 닫았다. 홍수에 큰 정유회사도 비상이었다. 카트리나 태풍과 기름 유출로 폭격받은 도시였다. 비행장으로 가는데, 여러 강줄기에서 엄청난 물들이 쏟아져 내렸다. 다행히 비행기는 조용히 뉴욕으로 날아갔다. 창으로 처음부터 끝까지 보름달이 달무리를 펼치고 반겨주었다. 밑으로 내려다보니, 한 도시의 불빛이 축제인양 대지를 불꽃으로 수놓았다.

천지가 평화로왔다. 커다란 달무리서 은빛 비행기(UFO였다 하더라도 그렇게 믿지 않으니, '천지창조'의 UFO (모양하고 같으나 크기는 100배)가 저 멀리 지나갔다. 구름보다 나은 예술품 없고, 자연보다 나은 예술가 없다.

결국 한국에 왔다. 퇴원해서 완쾌한 친구의 아파트가 있는, 기름 유출이 있었던 지역인 도시로 갔다. 큰 정유회사 경비로 취직했다. 평온한 나날이 좀 이어지나 싶더니, 하루는 친구가 운동하다 업혀왔다. 무릎인대 파열이었다. 수술을 마치곤 안정을 취하다 시골 부모집으로 내려갔다. 그런데 또 우연이 시작되었다. 내가 귀국한 날, 그가 다친 날, 시골집에 내려간 날, 그리고 겨울옷 가지러 온 날의 수가 내 휴대폰 숫자에 차례대로 나열되어 있었다. 그가 신청해줘서 받은 전화기였다.

그는 '크게 밝을 뫼' 태백산 꼭대기에 천제단을 쌓고, 매년 단군 제사를 지내는, 태백시에서 태어나, 큰 병을 앓고 장애자가 되었다. 그 병마저 이 일과 연관된단 말인가.

정유회사에서 야간순찰을 돌다 거미줄에 걸려, 자전거가 넘어지며 바닥에 나뒹굴었다. 그 종아리가 재발되어 경비직도 안녕이었다. 또 새 일자리를 알아보던 하루, 내 집도 아니고 친구의 집이라 멍하니, 아이들이 있는 뉴욕을 그리워하는데, 어떤 기운이 12층 베란다로 들어왔다.

창 밖을 보니, 내내 비가 지겹도록 쏟아지던 날이었고, 그날도 여전히 비가 내렸는데, 갑자기 먹구름이 갈라지더니 보름달이 잠시 얼굴을 드러냈다. 순간 전율이 일면서, 깨달음이 일어났다.

"그 기운을 달에서 보내는구나. 아, 아니다. 태양에서 보내는구나."

젊었을 때 햇빛을 쐬면 두드러기가 일어났다. 늘 피하면서도 호는 즐기는 태양이었다. 낙일(落日)에서 변천한 낙일(樂日).

뉴욕에서 실업기간 눈이 엄청 내렸다. 하루는 구름이 갈라지며 석양이 드러났다. 여전히 눈은 쏟아지고 있는데. 베란다에서 방으로 들어와 뉴욕을 회상하며 수면에 빠졌다.

배구를 하고 있었다. (배구에 관심도 없다) 난 관중석에 앉아있었다. 옆에는 3명의 여인이 있었다. 한 여인이 다가 와서 눈썹에 손을 대곤 손바닥으로 나의 눈을 가렸다. 그랬던가 ….

혁! 이게 웬일인가. 내 몸이 산산조각 부서지며 기체화 되어갔다. 그리곤 회전하였다. 타원형으로 회전하였다.

희열이었다. 형언할 수 없는 희열이 이어졌다. 세상에 그런 기분이 존재하는걸 어찌 알았으랴.

"아, 이렇게 죽는구나."

아쉽고 기뻤다. 이대로 가기에는 아쉽다는 순간에 눈이 떠졌다. 그 때 과거의 영상이 교차하였다. 비행기에서 보았던 은빛비행체와 사진에 찍혔던 발광체. 그리고 스며올라왔다. 숙명을 거부하지 말라는 계시라는 믿음.

그래서 썼다. 그리고 읽었다. 또 읽고 썼다. 참고문헌에서 인용할 땐, 보다 객관적인 중심을 지키려 하였다. 간략히 한다고 중요한 대목은 빠뜨리고 앞뒤만 맞추면서도, 내용이 뒤바뀌는 우를 범하지 않으려 하였다.

"자전거 타고가다 거미줄에 걸려 넘어졌다."

신문에 났다며, 동료 경비들이 나를 놀렸다. 조명은 있지만, 밤 2시였다. 회사가 워낙 넓어 내가 맡은 구역도, 자전거로 한 바퀴 도는데 30분이 넘는다. 그 자린 가장 외진 곳이다.

마지막 건물에 부착된 신호수신기에 접선을 하곤 돌아서 자전거를 몰고나오는데 거미줄이 얼굴에 휘감겼다. 한 손으론 핸들을 쥐고, 다른 손으로 거미줄을 떼어내려다 중심을 잃고 쓰러졌다. 자전거에 깔린 내자신이 참 비참하였다. 한밤중에….

바로 이틀전 밤 2시였다. 쿵하는 굉음에 바깥을 보았다. 1공장 건물뒤 2공장 대형설비에서 섬광이 일어났다. 커다란 반원으로 일출같이 붉었다. 긴장하고 기다렸다. 경비실 옆 방재실의 반응을 기다렸다. 기척이 없었다. 나 혼자만의 착각으로 여겼다. 아침에 방재실 소속 소방차가 순찰을 돌고왔다. 물어봤다.

"간밤에 별 일 없었나요?"

"아, 예. 폭발음을 들었다는 전화가 와서 다녀왔는데, 이상 없더군요."

야근자들도 많은데, 아무도 섬광을 보지 못하였다. 단지 굉음만 들었다는데, 그 위치가 내가 본 곳 하곤, 반대편인 내가 쓰러진 건물근처였다. 그 뒤로 흐지부지 되었지만, 경비기록에는 남아있다.

9월 11일, 쌍둥이 빌딩 무너질 때 맨하튼 한인타운 밑에 있는 한 한국 가게에 있었다. 처음 뉴욕와서 일하던 브로드웨이 도매상 사장님이 폐업을 하신다기에 인사차 들렀다. 그래서 현실이 아니라 꿈같고 당혹스런 광경을 지켜 보았다.

그리고 보름뒤 테러사건하곤 무관한 조종사의 실수로 비행기가 내가 다니던 회사 옆 바닷가에 떨어졌다.

기분이 묘했다.

한국에서 출판한 책에 9·11을 예시한 대목이 있어 그대로 옮긴다.

"오늘도 창가에 섰다. 부슬부슬 거품같은 비는 내리고. 높은 빌딩 뒤로 여객기가 불곰처럼 덮쳐온다. 사고런가. 당황한 눈빛의 조종사와 마주 봤다. 당당히 미소를 보냈다. 미쳤나. 기도런가. 찰나적인." (2000년 작. 138페이지)

이 글을 믿지 못하는 사람에게 예언한다. 이 도시에 물난리가 일어날 것이다. 사랑하는 도시라 계속 살아가지만 걱정은 없다. 유비무환이라지 않는가.

언제부턴가 '저승사자'라는 수식어가 따라붙었다. 내가 누구를 만나면, 그들에겐 곧 변화가 일어났다. 승진, 좌천, 이사 등. 오래 묵은 그들의 고민이 풀리는걸 보면 기분이 개운하였으나, 반대인 경우는 울적하지 않을 수 없었다.

여인들을 만나면 그들의 짐을 나눠지며 운명을 공유하였으나, 그들 과거의 고민들을 다 풀어내는덴 부담이 적지않아, 스스로 피한 결과로 오랜 홀아비 생활이 이어졌다.

병석에 누운 외할머니를 뵙고 나니, 아니나 다를까 한달만에 60세로 돌아가셨다. 그러자 외할아버진 내게 인사하러 오는걸 막았다. 그리곤 95세로 운명을 마치셨다. 고등 1학년 겨울방학 때 혼자서 상경하여 1달간 머물다 내려간 그 날, 사총사가 오래만에 모였는데, 그 중에 1명이 사고사로 사망하였다. 대학친구 1명은 급성 백혈병으로 완쾌하여 정능요양소에 있었는데, 꿈에 생불이 되었다며 나타나기에 통화한 다음날 죽었다.

일광 해변가, 군인이 떠나서 비워있던 해안초소에서 혼자 살아가던 시인 동경 형님과의 인연도 우울하다. 그 자신의 시집 교정을 끝내고, 책을 보기 하루 전날 필자와 조촐한 출판기념으로 술을 마셨다. 그게 마지막이었다. 훗날 그의 산소를 찾다가 벌집을 건드려 벌떼에게 쏘인 기억이 새롭다. 말 그대로 봉변을 당하였다. 본의 아니게 살아있던 모습을 마지막으로 보게된 경우가 여러번 있었다. 기억 자체가 두렵고 송구하여 까마득히 잊고 지냈다.

또 하나의 우연의 일치일까. 필자의 가슴에 큰곰자리 국자모양의 북두칠성, 칠점이 있다. 중국에선 관을 메고가는 사람들, 인간들의 죽음을 결정하는 별로 여긴다.

솔직히 필자는 단군을 남의 일로 여겼다. 필자와 유관하다는 걸 생각해 본 적이 없다. 달에 인간의 발자국을 찍는 현대문명에 고리타분한 신화에 고여있을 수 없었다. 그런데 어머니가 필자를 임신하여 꾼 태몽이 지금에 와서야 단초가 되어서, 죽음을 가까이 할 나이에 실마리를 푼다.

"호수가 보이는 깊고 높은 산에서 길을 잃고 헤메었다. 드넓은 호수가 바다같았고, 마치 천상의 하늘이 지상에 깔린듯 하였다. 산이 빙빙 돌아서 어지러워 눈을 감았다가 살며시 뜨니, 백발 긴 수염 단군할아버지가 바위 위에 앉아 있었다. 큰 절을 올리니, 호두 2알을 주었다. '모든 것이 다 담겨있느니라' 그 호두를 손에 쥐자, 모든 풍광이 다 어머니의 치마 속으로 들어왔다. 지그시 눈을 감은 단군의 입가에 빙그레 웃음이 머금어졌다.'

젊은 시절 혼자서 여행을 많이 다녔다. 어느 핸가 늦은 밤 지리산 자락 학동 주막에 당도하였다. 막걸리 1 주전자에 하룻밤 재워주었다. 다음날 청학동을 찾았다. 일반인은 입장할 수 없는 돌탑이 즐비한 삼성단을 들러볼 기회도 주어졌다. 그곳이 단군을 모시는 제단이란 기억이 남는 것은 한 기인과의 조우때문이다.

청학동 촌장께서 친히 환대하였는데, 금연이지만, 음주는 가능한 곳이라며, 점심때 반주를 권하여서 솔솔히 마셨다.

약주에 취해 한숨 자고 일어나니, 합석하였던 여행객 노인의 행방은 묘연하였다. 필자도 더 이상 알려고 하지 않았다. 무척 야위고 눈은 초롱초롱한 그는 한겨울에도 얇은 옷만 입고 다니며, 나무 지팡이를 여의봉이라 하였다. 가장 기억에 남는 대목도, 그를 기인으로 여기는 것과 결부된다.

그의 말이었다.

" 머나먼 별에서 왔네. 단군 친동생이신 중시조 둔군 직계 23대 종손이네. 한 낮의 빛이지, 결코 한 낮의 꿈은 아니네."

그때 청학동 조그만 아이들 중에서 가장 똘망똘망한 이쁜 사내아이가 후에 티비에 나오는 유명인사가 되었다. 그 어린 모습 사진을 갖고있다.

언제 끝마치는가 보단 어떻게 끝마칠건가를 되새겼다. 어설픈 삶, 얼룩진 삶, 마지막에는 매끈하길 바란다. 부모를 위한, 형제를 위한, 자식을 위한 삶은 살아봤지만, 아내를 위한 삶은 단 하루도 살아보지 못하였다. 같은 핏줄이 아니란 옹졸한 그릇 주제에 너무나 큰 주제를 담아 주체하지 못하더라도 주체성은 잊지 않았다.

삶이란 어떻게 보이느냐가 아니고, 무엇을 하느냐가 중요하다. 사랑이란 어떠한 모습이 아니고, 있는 그대로를 수용한다.

이것으로 내 운명의 빚을 갚는다. 이 책으로 내 목숨 끝나도 좋다. 얼마나 멋진 죽음이겠는가. 그런 운명으로 마치 마지막까지 쫓겨오듯 흘러왔다는건 대 만족이다. 그들에게 오히려 감사한다. 어긋난 죽음일지언정.

- 지금의 한국, 몸은 가장 살아있으나 마음은 가장 죽어있다. 남남아닌 형제없고, 형제아닌 남남없다. 백지는 백지대로 남겨지고, 흑지는 흑지대로 남겨지는데, 남겨지는건 남겨지는대로 있지 않고, 없는건 없는대로 남겨지지 않는다.

〈 참고 문헌 〉

(책이름, 쓴이, 옮긴이, 출판사, 발행연도 순.)

* 신의 거울 그레이엄 핸콕 옮김 김정환 김영사 2000년
* 신의 봉인 그레이엄 핸콕 옮김 마도경 외 까치글방 2004년
* 신의 지문 상, 하 그레이엄 핸콕 옮김 이경덕 까치글방 1996년
* 지구 위의 모든 역사 크리스토퍼 로이드 윤길순 김영사 2011년
* 한국사를 보다 박찬영 외 리베르 2011년
* 발견 하늘에서 본 지구 366 이사벨 드라누아 외 조형준 외 새물결 2003년
* 바이칼, 한민족의 시원을 찾아서 정재성 정신세계사 2003년
* 바둑의 발견 문용직 도서출판 부키 2000년
* 바둑의 발견 2 문용직 도서출판 부키 2005년
* 주역의 발견 문용직 도서출판 부키 2007년
* 인생과 바둑 정수현 창작시대 2002년
* 바둑이야기 이승우 전원문화사 2000년
* 바둑철학 박우석 도서출판 동연 2002년
* 인문으로 읽는 주역 신원봉 도서출판 부키 2009년
* 역주 주역사전 정양용 옮김 장정욱 소명출판 2007년
* 자연법칙에서 인생철학까지의 주역 쑨잉퀘이, 양이밍 옮김 박삼수 현암사 2007년
* 주역해의 남동원 나남출판 2001년
* 주역산책 주백곤 옮김 김학권 예문서원 1999년
* 주역의 멋 장영동 우리출판사 2000년
* 주역신수비전 허윤 명문당 1991년
* 새주역 김영수 명문당 1998년
* 기학정설 이기목 명문당 1997년
* 퉁구스족의 곰의례 한스 파프로트 옮긴이 강정원 태학사 2007
* 부도지 박제상 옮김 김은수 한문화 2007년
* 한단고기 임승국 정신세계사 2008년
* 실증 한단고기 이일봉 정신세계사 1998년
* 고깔모자를 쓴 단군 정형진 백산자료원 2003년
* 한국고대사의 비밀 김은석 살림터 2011
* 한겨레상고사 윤범하 여명출판사 1993년
* 주해 한단고기 김은수 기린원 1989년
* 상고사의 새발견 이중재 동신출판사 1994년
* 한국상고사 상고사학회 민음사 1989년
* 고대로부터의 통신 역사연구회 푸른역사 2004년
* 단군, 만들어진 신화 송호정 산처럼 2005년

* 신시, 단군조선사 연구 김종서 한국민족역사연구회 2003년
* 고조선은 대륙의 지배자였다 이덕분 외 역사의아침 2006년
* 오행, 그 신비를 벗긴다 유소홍 옮김 송인장 외 국립자료원 2008년
* 신산육효 김용연 외 안암문화사 2001년
* 홍국기문 김학인 전남대학교 출판부 2006년
* 한국생활사 박물관 전집 편찬위원회 사계절 2000년
* 중국역사 박물관 전집 중국사학회 옮김 강영매 범우사 2004년
* 아라비안나이트 박물관 마츠조노 마키오 시대의창 2006년
* 한일고대사 유적답사기 홍성화 삼인 2008년
* 나의 문화유산 답사기 유홍준 (주) 창비 2011년
* 환관과 궁녀 박영규 김영사 2004년
* 금지된 신의 문명 1, 2 앤드류 콜린스 옮김 오정학 2000년
* 역사는 수메르에서 시작되었다 새뮤얼 크레이머 옮김 박성식 가람기획 2000년
* 중국 신화 앤소니 크리스티 옮김 김영범 범우 2011년
* 중국의 신화 이은구 세상미디어 2003년
* 인도의 신화 이인구 세상미디어 2003년
* 일본의 신화 요시다 아츠히코 외 옮김 양억관 황금부엉이 2005년
* 세계의 신화 101 요시다 아츠히코 외 옮김 김두진 아데나미디어 2001년
* 고대신전 오디세이 이종호 신인문사 2010년
* 상징 이야기 잭 트레시더 옮김 김병화 2007년
* 우주뱀=DNA 제레미 나어비 옮김 김지현 도서출판 들녘 2002년
* 올멕문명의 미스터리 데빗 차일드레스 옮김 김원 한솜미디어 2011년
* 수메르문명 박두이 중앙교육연구원 1999년
* 수메르, 최초의 사랑을 외치다 김산해 휴머니스트 2007년
* 수메르, 혹은 신들의 고향 제카리아 시친 옮김 이근영 이른아침 2004년
* 길가메쉬 서사시 김산해 휴머니스트 2007년
* 세계 선사 문화의 이해 브라이언 페이건 옮김 이희준 사회평론 2011년
* 가장 인간적인 것들의 역사 율리우스 립스 옮김 황소연 2004년
* 그리스 로마 철학사 프레드릭 코플스톤 옮김 김보현 철학과현실사 1998년
* 시크릿 코드 폴 룬드 옮김 박세연 시그마북스 2009년
* 우주가 바뀌던 날 그들은 무엇을 했나 제임스 버크 옮김 장석봉 궁리출판 2010년
* World History 레인 빙엄 외 옮김 이은선 도서출판 예경 2009년
* 세계사의 모든 지식 앨런 벌록 외 옮김 이민아 푸른역사 2009년
* 세계사 산책 김창성 솔출판사 2003년
* 세계사 X파일 이가은 외 도서출판 다림 2004년
* 세계사 연표 캐서린 일트서 외 옮김 정은주 외 청아출판사 2007년
* 세계사 여행 알렉산더 데만트 옮긴이 전은경 북로드 2005년

* 유물을 통해 본 세계사 하비 래클린 옮김 김라함 세종서적 1997년

* 고대유적 모리노 다쿠미 외 옮김 이만우 들녘 2001년

* 역사유적 1001 리차드 카벤디쉬 외 옮김 김희진 마르니에북스 2009년

* 고지도의 비밀 류강 옮김 이재훈 글항아리 2011년

* 세계지도 성지문화사 2007년

* 이야기가 있는 세계지도 오기노 요이치 옮김 김경화 푸른길 2004년

* 소크라테스 이전 철학자들의 단편 선집 탈레스 외 옮김 김인곤 외 아카넷 2009년

* 자연, 예술, 과학의 수학적 원형 마이클 슈나이더 옮김 이충호 경문사 2002년

* 모두를 위한 물리학 한스 그리스만 옮김 이정모 사계절 2011년

* 우주의 풍경 레너드 서스킨드 옮김 김낙우 사이언스북스 2011년

* 해부생리학 로버트 클라크 옮김 이영돈 외 라이프 사이언스 2007년

* 에도의 몸을 열다 타이먼 스크리치 옮김 박경희 그린비 2008년

* 달라이라마와 도올의 만남 김용옥 통나무 2002년

* 앙코르와트 월남가다 김용옥 통나무 2005년

* 수학적 상상의 세계 허수 배리 마주르 옮김 박병철 승산 2008년

* 신화속 수학이야기 이광연 경문사 2004년

* 수의 신비와 마법 프란츠 엔드레스 외 옮김 오석균 고려원미디어 1996년

* 플라톤과 아르키메데스 입체 다우드 서튼 옮김 김영태 도서출판 마루별 2010년

* 신성한 기하학 미란다 룬디 옮김 곽영직 도서출판 마루별 2010년

* 입체조형 한석우 미진사 1997년

* 신의 베틀 클리퍼드 픽오버 옮김 이상원 경문사 2002년

* 수의 비밀 앙드레 주에트 옮김 김보현 이지북 2001년

* 숫자, 세상의 문을 여는 코드 피터 밴틀리 옮김 유세진 수북 2008년

* 수학, 문명을 지배하다 모리스 클라인 옮김 박영훈 경문사 2005년

* 수학, 천상의 학문 존 배로 옮김 박병철 경문사 2004년

* 문명, 수학의 필하모니 김홍종 효형출판 2009년

* 원의 역사 어니스트 지브로스키 옮김 김창호 외 경문사 2004년

* 무 0 진공 존 배로 옮김 고중숙 해나무 2003년

* 공이란 무엇인가 김명진 그린비 2009년

* 우주의 고독 클리퍼드 픽오버 옮김 이한음 경문사 2004년

* 세계의 불가사의 이종호 문화유람 2006년

* 사라진 대륙 아틀란티스 로드니 캐스트레덴 옮김 김현주 다른생각 2004년

* 피라미드 미로슬라프 베르너 옮김 김희상 심산문화 2004년

* 피라미드의 과학 이종호 새로운 사람들 1999년

* 인류사를 뒤바꾼 백가지 사건 빌 옌 옮김 최경배 도서출판 미토 2002년

* 옛문명의 풀리지 않는 의문들 상, 하 피터 제임스 외 옮김 오성환 까치글방 2001년

* 수수께끼의 고대문명 김진영 외 넥서스 1996년

* 수수께끼의 외계문명 김진영 외 넥서스 1995년

* 뮤 대륙의 비밀 제임스 처치워드 문화사랑

* 별자리여행 이태형 김영사 2002년

* 우리별자리 이태형 현암사 1998년

* 외계인 루머와 진실 김찬기 겸지사 2003년

* 피라미드 에너지 허창욱 도서출판 모색 1998년

* 2012 신들의 귀환 에리히 폰 데니켄 옮김 김소희 청년정신 2010년

* 밀레니움 상, 하 페르난데스 아메스토 옮김 허종열 한국경제신문사 1997년

* 충격의 고대문명 찰스 샐리어 옮김 안정희 한뜻출판사 1997년

* 고대세계의 70가지 미스터리 브라이언 페이건 옮김 남경태 오늘의책 2004년

* 세계 7대 불가사의 피터 클레이튼 외 옮김 김훈 가람기획 2003년

* 세계의 불가사의 1,2 콜린 윌슨 옮김 장이술 간디서원 2004년

* 세계 불가사의 1,2,3 이종호 문화유람 2006년

* 세계불과사의 백과 1,2 콜린 윌슨 옮김 황종호 하서출판사 2006년

* 세계불가사의 21가지 이종호 새로운사람들 1998년

* 에세이 세계사 궁원무부 외 옮김 이윤희 백산서당 1994년

* 터키사 이희석 대한교과서 1993년

* 터키사 전국역사교사모임 휴머니스트 2010년

* 유럽의 잃어버린 문명 피터 마셜 옮김 손희승 역사의아침 2008년

* 서양문화의 역사 로버트 램 이희재 사군자 2002년

* 서양의 관상학 설혜심 한길사 2003년

* 고고학 볼프강 코른 옮김 장혜경 해냄 2004년

* 고고학의 기밀문서 루크 베르긴 옮김 장혜경 사람과사람 2001년

* 고고학 탐정들 폴 반 옮김 김우영 효형출판 2006년

* 몽상과 매혹의 고고학 씨 쎄람 옮김 강미경 랜덤하우스 코리아 2008년

* 고고학의 모든 것 폴 반 옮김 원형준 외 루비박스 2008년

* 잃어버린 문명의 미스터리 찰스 벌리츠 옮김 박재학 새날 2004년

* 과거를 추적하는 수사관, 고고학자 볼프강 코른 옮김 배수아 김영사 2008년

* 낭만과 모험의 고고학 여행 스티븐 버트먼 옮김 김석희 2008년

* 나스카 유적의 비밀 카르멘 로르바흐 옮김 박영구 푸른역사

* 고고학 여행 1, 2 김병모 고래실 2006년

* 1세대 문명 크리스토퍼 나이트 외 옮김 성양환 청년사 2007년

* 환생과 신들의 탄생 조지 윌리암슨 옮김 안원전 대원출판 2000년

* los mayas 송영복 도서출판 상지사 2005년

* 태양의 제국 마이클 우드 옮김 장석봉 외 랜덤하우스중앙 2000년

* 그림으로 보는 황금가지 제임스 프레이저 옮김 이경덕 까치글방 1995년

* 위대한 설계 스티븐호킹 외 옮김 전대호 까치글방 2011년

* 호두껍질 속의 우주 스티븐 호킹 옮김 김동광 까치글방 2001년

* SCIENCE 애덤 하트 데이비스 옮김 강윤재 북하우스 2010년

* 우리 태양계 13 행성 이향순 현암사 2010년

* 세계 선사 문화의 이해 브라이언 페이건 옮김 이희준 사회평론 2011년

* 世界노 美術館 전집 講談社 日本 1974년

* 세계미술대전집 동아출판사 1982년

* 타임라이프세계사 전집 옮김 전일휘 외 타임라이프 2004년

* 세계를 움직인 그림들 클라우드 라이홀트 외 옮김 임미오 중앙M&B 2003년

* 세계문화사전 피오나 맥도널드 외 옮김 장석봉 글담출판사 2009년

* 세계사 편력 이 곰브리치 옮김 이내금 간디서원 2002년

* 살아있는 세계사 교과서 전국역사교사모임 휴머니스트 2006년

* 의문에 빠진 세계사 치우커핑 옮김 이지은 두리미디어 2008년

* 천년왕국 미스테리 발터 랑바나 옮김 송라현 글담 1999년

* 라틴어메리카사 마스다 요시오 옮김 신금순 심산 2003년

* 서양 이바르 리스너 옮김 김동수 살림 2005년

* 우리는 모두 인디언이다 강영길 프로네시스 2011년

* 유럽문화의 수수께끼 김재수 예경 2003년

* 미술의 역사 에이치 젠센 옮김 김윤수 외 삼성출판사 1987년

* 미켈란젤로 앤소니 휴스 옮김 남경태 한길아트 2003년

* 레오나드 다빈치 토마스 다비트 옮김 노성두 랜덤하우스 2007년

* 로댕 베르나르 상피날르 옮김 김숙 시공사 2003년

* 고야, 영혼의 거울 프란시스코 데 고야 옮김 이은희 다빈치 2001년

* 모네의 그림속 풍경기행 사사키 미쓰오 외 옮김 정선이 예담출판사 2002년

* 달리, 나는 세상의 배꼽 김종호 평단아트 2004년

* 살바도르 달리 살바도르 달리 옮김 이은진 이마고 2004년

* 칼라 여행 빅토리아 핀레이 옮김 이지선 아트북스 2005년

* 파워 오브 칼라 모턴 워커 옮김 김은경 교보문고 1996년

* 현대미술구조론 1, 2 편역 유인수외 숭례문 1990년

* 명화와 의학의 만남 문국진 예담출판사 2002년

* 세계명화 숨은그림 찾기 패트릭 링크 옮김 박누리 마로니에북스 2007년

* 검은 천사 하얀 악마 김융희 시공사 2006년

* 그리스로마신화 그림으로 읽기 루치아 임펠루스 옮김 이종인 도서출판 예경 2008년

* 르네상스의 이태리 화가들 버나드 베른손 옮김 최승규 한명출판 2000년

* 피카소와의 대화 브로샤이 옮김 정수경 무우수 2004년

* 게르니카, 피카소의 전쟁 러셀 마틴 옮김 이종인 에코리브르 2003년

* 뉴욕에서 꼭 봐야할 100점의 명화 디나 맥도널드 외 송연승 마로니에북스 2010년

* 미술관 100 만프레드 라이어 외 옮김 신성림 서강출판사 2007년

* 죽음과 부활, 그림으로 읽기 엔리코 데 파스칼레 옮긴이 엄미정 예경출판사 2010년
* 명작 스캔들 장 셰노 옮김 김희경 이숲 2011년
* 미술, 과학을 탐하다 박우찬 소울 2011년
* 도쿄 미술관 산책 장윤선 시공사 2011년
* 단숨에 읽는 세계 박물관 cctv 옮김 최인애 베이직북스 2010년
* 국립민속박물관 신광섭 (주) 시공테크 2006년
* 우리의 원형을 찾는다 박정태 열화당 2000년
* 우리민족의 놀이문화 조완묵 정신세계사 1996년
* 우리놀이 백가지 이철수 현암사 2000년
* 전래놀이 101가지 이상호 사계절 1999년
* 한국의 놀이 스튜어트 컬린 옮김 윤광봉 2003년
* 우리문화의 수수께끼 주강현 한겨레신문사 2004년
* 우리문화 박물지 이어령 디자인하우스 2007년
* 우리민속신앙 이야기 이희근 여명미디어 2002년
* 한국조각사 문명대 열화당 1997년
* 100가지 민족문화 상징사전 주강현 한겨레아이들 2007년
* 장승 정상원 눈빛 2000년
* 중국 한국 미술사 김충남 학고재 2009년
* 지식의 미술관 이주헌 아트북스
* 대륙의 찬란한 기억 광하해운문화공사 옮김 박지민 북폴리오 2004년
* 케임브리지 중국사 패트리샤 에브리 옮김 이동진 외 시공사 2003년
* 일본사 박경희 도서출판 일빛 1999년
* 일본사 101장면 강창일 외 가람기획 1998년
* 일본회화사 아키야마 테루카즈 옮김 이성미 도서출판 예경 1992년
* 세계에서 가장 위대한 그림 45 로버트 커밍 옮김 박누리 동녘 2008년
* 브뢰겔 닐스 켈 옮김 노성두 랜덤하우스
* 루브르박물관 (주)지엔씨미디어 2007년
* 시간론 다케우치 가오루 옮김 박정용 전나무숲 2011년
* 초능력과 미스터리 동아출판사 1994년
* 외계인은 존재하는가 민영기 까치글방 2003년
* 지구속 문명 티모시 베클리 옮김 안원전 대원출판 1996년
* 문명의 창세기 1, 2 데이비드 롤 옮김 김석희 해냄출판사 1999년
* 인지과학 혁명 사에키 유타카 옮김 김남주 에이콘 2011년
* 음악사 에이치 밀러 옮김 대학음악저작연구회 삼호출판사
* 음악철학 웨인 보먼 옮김 서원주 까치글방
* 언어의 역사 스티븐 피서 옮김 박수철 외 21세기북스 2011년
* 갑골문자전 소림 덕태랑 옮김 박희영 경인문화사 1990년

* 명문한한대자전 김혁제 외 명문당 1984년
* 역사의 비밀을 찾아서 한스 루프 옮김 천미수 오늘의책 2004년
* 역사의 비밀 1, 2 한스 루프 옮김 이민수 오늘의책 2004년
* 세계사 이야기 버나드 칼슨 옮김 남경태 푸른숲 2009년
* 사랑에 빠진 세계사 치우커밍 옮김 유수경 두리미디어 2008년
* 사이비 역사의 탄생 로널드 프리츠 옮김 이광일 이론과실천 2010년
* 신의 지문, 발리 NGS 미디아트 2001년
* 지구위의 모든 역사 크리스토퍼 로이드 윤길순 김영사 2011년
* 한국사를 보다 박찬영외 리베르 2011년
* 공간과 시간의 역사 그레이엄 클라크 옮김 정기문 푸른길 1999년
* 1만년의 이야기 티베트 지토편집부 옮김 박철현 새물결 2011년
* 죽음 이야기 리수봉 옮김 양성희 시그마북스 2011년
* 조선시대 최석진 서문당 2004년
* 이솝우화 로버트 템플 옮김 김선형 그린북 2001년
* 쐐기문자에서 훈민정음까지 조두상 한국문화사 2009년
* 문자 이야기 앤드류 로빈슨 옮김 박재욱 사계절 2003년
* 앨버트로스의 똥으로 만든 나라 후루타 야스시 옮김 이종훈 서해문집 2006년
* 우연과 혼돈 다비드 뤼엘 이화여대출판부 1991년
* 외계인과 교신기록 박주원 도서출판 독특한 1997년
* 블랙홀과 시간굴절 킵 손 옮김 박일호 이지북 2005년
* 고인돌 이영석 한솜미디어 2008년
* 거꾸로 보는 고대사 박노자 한겨레출판 2010년
* UFO와 별에서 온 여인 셈야제 개리 킨더 옮긴이 김진경 1997년
* 로즈웰 파일 필립 코르소 옮김 최환 물병자리 1997년
* 미스터리 커트니 브라운 옮김 홍지희 한뜻 1996년
* 나는 금성에서 왔다 옴넥 오넥 옮김 목현 외 은하문명 2011년
* 다른 별에서 온 마녀 실비아 앵달 옮김 김혜원 비룡소 2008년
* 0.1 퍼센트의 차이 베르트랑 조르당 옮김 조민영 알마 2011년
** 인터넷 검색
*** 그외 미국 뉴욕 도서관서 참조한 서적들은 다음 기회에 추가하겠습니다.

외계인과 단군

초판 1쇄 인쇄 2012년 3월 12일
초판 1쇄 인쇄 2012년 3월 20일

지은이 서현수
펴낸이 서현수
펴낸곳 삼오출판사

ISBN 978-89-968846-1-7 　 00000
출판등록 : 2012년 2월 10일 (제 332-2012---000002호)
주소 : 부산시 북구 만덕동 927-1
인쇄 : 한성문화인쇄 　 전화 02) 2265-2845

이메일 www. samobooks@yahoo.com
◯ 한미동서문화재단 hanmi2000@yahoo.com
해외동포 책보내기 후원
국민은행 462601-04-336056 서현수 010-9263-4051

값 15,000원

- -

한국총판 : 가나서적
경기도 안산시 단원구 고잔동 703-3
전화 031- 408- 8811 팩스 031- 501- 8811